Panorama des Lettres canadiennes-françaises

Collection Art, Vie et Sciences au Canada français

sous la direction de
Madame Geneviève de la Tour Fondue-Smith

1. Panorama des Lettres canadiennes-françaises
   par GUY SYLVESTRE
2. Le Théâtre au Canada français
   par JEAN HAMELIN
3. La Peinture moderne au Canada français
   par GUY VIAU
4. La Vie musicale au Canada français
   par ANNETTE LASALLE-LEDUC
5. La Vie des sciences au Canada français
   par CYRIAS OUELLET
6. L'essor des sciences sociales au Canada français
   par JEAN-CHARLES FALARDEAU

Panorama des Lettres canadiennes-françaises

par

Guy SYLVESTRE

de la Société royale du Canada
de l'Académie canadienne-française

3e tirage, 10e mille

Ministère des Affaires culturelles

QUÉBEC

1967

La collection de brochures *Art, Vie et Sciences au Canada français* a été conçue comme un instrument de documentation et de travail destiné à être diffusé auprès d'un large public cultivé, tant au Canada qu'à l'étranger.

Chaque auteur, choisi pour sa compétence reconnue, a l'entière responsabilité de son texte.

Aucun des ouvrages de cette série n'entend être, toutefois, un catalogue, un palmarès ou une publication technique hautement spécialisée.

Mais leur ensemble constitue un témoignage de qualité de la vitalité culturelle du Canada français.

Geneviève de la TOUR FONDUE-SMITH
directrice de la collection

Tradition et évolution

Dans un roman où il a exprimé avec un heureux mélange de virilité et de tendresse la profonde fidélité des colons du Québec aux traditions héritées de la vieille France monarchique et chrétienne, Louis Hémon a écrit : « Nous sommes venus il y a trois cents ans et nous sommes restés . . . ici toutes les choses que nous avons apportées avec nous, notre culte, notre langue, nos vertus et jusqu'à nos faiblesses deviennent des choses sacrées, intangibles et qui devront demeurer jusqu'à la fin . . . Au pays de Québec rien ne doit mourir et rien ne doit changer. »

Mais, depuis *Maria Chapdelaine*, qui a longtemps contribué à répandre dans le monde l'image d'un Canada français figé dans un conservatisme inébranlable, beaucoup de choses ont changé au pays de Québec, et continuent de changer à un rythme qui va s'accélérant toujours. Au moment où il a écrit son roman (1914), Louis Hémon a voulu révéler à ses lecteurs une image fidèle d'un coin d'Amérique où survivait la vieille France : ce qui était il y a un demi-siècle un tableau véridique de la réalité est devenu l'évocation nostalgique d'un monde presque tout entier disparu ou, du moins, en voie de disparition.

Écrit par un Français, *Maria Chapdelaine* restait dans la tradition du roman canadien, en grande partie d'inspiration rurale et d'intention apologétique. Jusque là, dans son ensemble, la littérature canadienne-française avait été une littérature d'action : poésie patriotique, roman social, journalisme de combat, éloquence politique et religieuse. Longtemps avant la France des années '40, le Canada français a eu, à sa manière et dans un autre style, sa littérature de résistance : littérature inspirée par la nostalgie du passé et par la volonté obstinée de ne pas changer dans un pays devenu, par le sort des armes et de la diplomatie, britannique. Au tournant du siècle, quelques-uns des meilleurs écrivains ont prétendu libérer la littérature de cette responsabilité politique, sociale et religieuse que leurs prédécesseurs lui avaient fait assumer ; beaucoup de leurs contemporains les ont tenus pour des apostats qui reniaient les valeurs qui avaient assuré la survivance du peuple canadien-français en Amérique du nord. La libération de l'écrivain de toute servitude étrangère aux fins de son œuvre a naturellement été lente, elle n'est d'ailleurs pas encore achevée. Comme on le verra, si la plupart des jeunes écrivains d'aujourd'hui ont les yeux tournés vers l'avenir plus que vers le passé, beaucoup d'entre eux n'en sont pas moins tombés dans de nouvelles servitudes. D'une manière souvent différente, et sans que les écrivains en soient toujours conscients, une littérature engagée continue en même temps que des œuvres apparaissent qui semblent étrangères aux préoccupations de l'époque. Dans un cas comme dans l'autre, les œuvres sont fort différentes de celles du siècle dernier, tant par les thèmes qui y dominent que par les procédés d'écriture et de composition qui s'y renouvellent. La littérature canadienne-française a évolué parallèlement à la société dont elle est le miroir assez fidèle.

Depuis les jours où Louis Hémon a écrit son roman, le Canada français a subi une profonde révolution sociale. Stimulé par deux guerres mondiales qui ont fortement contribué à l'industrialisation du pays, l'exode vers les villes a transformé un peuple jusque là en majorité rural en un peuple de citadins improvisés. Cette transformation a eu des effets de longue portée qu'on a pu observer chez les individus comme dans les institutions et, par voie de conséquence, dans la production littéraire. Bien que deux guerres mondiales et une longue et cruelle dépression économique aient contribué à l'accélérer, cette révolution s'est faite avec continuité, sans trop de heurts et, jusqu'à ces derniers temps, sans violence. Il est normal que la littérature ait subi une évolution parallèle. Tout récemment, des idées nouvelles ont surgi dans tous les domaines et elles sont exprimées avec la violence dont certains terroristes ont aussi fait preuve récemment.

Il semble qu'il y ait entre les jeunes et leurs aînés non plus l'écart d'une génération, mais l'abîme qui sépare deux mondes assez étrangers l'un à l'autre. Les cadres traditionnels avaient éclaté sous la pression des événements et des aspirations qui ont rempli l'entre-deux-guerres ; on dirait qu'il se passe aujourd'hui quelque chose d'encore plus grave, une sorte de brisure brutale. Entre les deux générations qui produisent présentement des œuvres il n'y a pas de solution de continuité. Il est assez facile de savoir d'où vient le Canada français ; il est désormais impossible de prévoir où il va.

Il n'est pas question d'analyser longuement ici cette évolution récente de la société canadienne-française ; il est d'ailleurs encore trop tôt pour tout saisir de cette époque de transition où s'entremêlent encore inextricablement ce qui dure, ce qui naît et ce qui meurt. Les idées nouvelles et les plus anciennes, les aspirations les plus récentes et les traditions les mieux établies, tout cela se retrouve dans les œuvres des écrivains comme dans celles des autres artistes qui, eux aussi, sont les interprètes d'une société en mouvement autant que de leurs démons intérieurs. Pour saisir le sens et la portée des œuvres, il faut savoir qu'elles sont souvent le témoignage d'hommes marqués par cette révolution qui touche à tout : économie, enseignement, politique, religion. C'est souvent l'homme même qui est remis en question.

L'accélération de l'histoire

J'ai écrit ailleurs que les Canadiens français étaient des *Américains* vivant sous un régime *britannique* et parlant *français*. Ils sont plus de cinq millions dans un immense pays où vivent plus de onze millions d'anglo-saxons, sur un continent qui compte plus de cent soixante-quinze millions d'anglophones. Géographiquement, ils sont une enclave, même s'ils ont essaimé du Québec dans les autres provinces du Canada et aux États-Unis. Cela seul suffit à expliquer qu'ils ont souvent tendance à se replier sur eux-mêmes. Ce repli leur a encore été imposé par l'histoire : peuple conquis en 1763, appauvri en hommes et en biens, menacé dans sa survivance, les Canadiens français ont réussi à rester eux-mêmes grâce à leur fidélité à leurs origines, à leur méfiance à l'égard de ce qui était nouveau et étranger. Ils sont restés insensibles au courant révolutionnaire qui a amené l'indépendance américaine, la révolution française et la libération des républiques sud-américaines. Lorsque, plus tard, est survenue la révolution industrielle, ils n'ont pu y participer qu'à titre de prolétaires ; les nouveaux colons britanniques avaient mis la main haute sur l'administration, l'industrie et le commerce. Bien qu'ils aient accompli des progrès dans certains secteurs de l'économie, les Canadiens français ne possèdent encore qu'une faible partie de la richesse nationale. Ils sont une minorité, une minorité plus pauvre que la majorité et la conscience de leur infériorité économique leur est d'autant plus pénible qu'ils savent qu'ils ont été les premiers occupants blancs d'un pays si riche en ressources de toutes sortes. Il n'est donc pas étonnant qu'ils aient eu aussi longtemps la nostalgie du passé ; il n'est pas étonnant non plus que certains se rebellent de plus en plus contre cette situation de fait et que, témoins de la libération récente des colonies françaises en Afrique et ailleurs, beaucoup de jeunes intellectuels désirent obtenir pour la province de Québec une indépendance accrue, soit comme état souverain, soit comme province jouissant d'une plus grande autonomie au sein de l'état fédéral canadien.

Les actes de terrorisme récents ont leur contrepartie dans une littérature engagée qui milite pour un Québec souverain, socialiste, laïque et républicain. Cette littérature n'occupe évidemment pas toute la place, pas plus que les revendications violentes de ces militants ne reçoivent l'approbation de la plupart des Canadiens de langue française. Mais toute cette agitation récente, cette volonté de poser de nouveau les questions essentielles et de suggérer des solutions neuves à des problèmes qui existent depuis longtemps, a modifié considérablement le climat intellectuel et littéraire du Canada français et substitué de nouveaux mythes aux anciens. Ainsi, le mythe de la vocation agricole des Canadiens français semble bien mort ; on croit plutôt aujourd'hui que le relèvement économique du Canada français peut être réalisé par la mainmise de la province sur une partie au moins de la grande industrie et par l'action des syndicats ouvriers. Aussi il n'est pas étonnant de constater qu'un nombre croissant d'étudiants se dirigent vers les sciences, le génie et le commerce, alors que, jusqu'ici, la médecine et le droit avaient toujours attiré la majorité des diplômés. Ce revirement est, au fond, conforme aux tendances de l'époque et se retrouve partout en Occident. Mais cela ne va pas sans modifier simultanément l'orientation de nombre de jeunes écrivains : il n'est pas question seulement de l'introduction de nouveaux procédés d'écriture et de composition, *c'est la substance même de la culture qui est changée, c'est la notion même d'homme qui a évolué et c'est aussi le rôle de l'écrivain dans la société qui est modifié.* Anne Hébert n'a rien de commun avec Louis Fréchette ou Paul Morin, pas plus que l'univers d'André Langevin ne ressemble à ceux de Laure Conan ou de Germaine Guèvremont. Chez les plus jeunes, chez Jacques Godbout, André Brochu ou Paul Chamberland, la révolution est encore plus totale : avec eux, la littérature canadienne-française semble en train de faire peau neuve. Nul ne saurait dire encore ce que sera cette peau.

La littérature canadienne-française d'aujourd'hui vient de loin. Ses débuts ont été lents et peu remarquables, mais elle a désormais une place, non des plus grandes certes mais enfin la sienne, dans la littérature contemporaine. Ringuet a mérité le prix des Vikings en 1938 avec *30 arpents*, Gabrielle Roy, le Fémina en 1947 avec *Bonheur d'occasion* et Marie-Claire Blais, le prix Médicis en 1966 avec *Une saison dans la vie d'Emmanuel* ; Édouard Montpetit était membre de l'Académie royale de Belgique et Robert Choquette est membre de l'Académie Ronsard ; plusieurs romans, notamment ceux de Gabrielle Roy, de Roger Lemelin et d'Yves Thériault, ont été traduits en plusieurs langues. En somme, l'existence d'une littérature canadienne-française est désormais reconnue à l'étranger. Les Canadiens français n'ont plus à se demander comme ils l'ont fait si longtemps : existe-t-il une littérature canadienne-française ? La question qui se pose désormais est la suivante : quelle est-elle ? La meilleure manière d'y répondre semble être tout simplement d'en résumer l'histoire et, pour comprendre son évolution récente, il faut remonter à ses origines et voir d'où elle vient.

Perspectives littéraires du monde atlantique

De même qu'on peut, d'une certaine manière, faire remonter l'histoire des lettres ibéro-américaines aux lettres de Hernán Cortès, aux chroniques de Díaz del Castillo et aux poèmes de Juana Iñez de la Cruz, on peut dire que l'histoire d'une certaine littérature canadienne commence avec les récits de Jacques Cartier, de Samuel de Champlain et de Marc Lescarbot, les lettres et les écrits de Marie de l'Incarnation et les *Relations des Jésuites.* Mais toutes ces œuvres de pionniers n'étaient que des prolongements en terre américaine de littératures européennes au moment même où ces dernières atteignaient leur maturité avec un Cervantès, un Shakespeare et un Montaigne. Si ces œuvres étaient, en grande partie, inspirées par les réalités d'un monde nouveau — aux yeux des Européens, du moins — elles appartenaient néanmoins aux littératures des mères-patries, et on ne peut les considérer, à proprement parler, comme les débuts de nouvelles littératures autonomes (dans la mesure où l'on peut parler d'autonomie en littérature).

Aujourd'hui encore, le cordon ombilical n'est pas totalement coupé, et tant que les républiques du sud, les États-Unis et le Canada auront des langues communes avec l'Espagne, le Portugal l'Angleterre et la France, leur autonomie culturelle ne sera jamais complète, même si la souveraineté politique leur est acquise. Il suffit, pour s'en rendre compte, de constater que quantité d'œuvres sont lues des deux côtés de l'Atlantique sans qu'il soit nécessaire de les traduire. Cette double appartenance est un des caractères communs à toutes les littératures américaines — à la seule exception de la littérature folklorique indigène. Un autre caractère qu'elles possèdent conjointement vient de ce que la majorité de leurs écrivains cherchent à exprimer dans une langue déjà constituée outre-mer — même s'il s'y ajoute des rapports linguistiques locaux — des faits, des réalités, des manières de voir, de sentir et de penser qui, dans une certaine mesure, leur sont propres.

Que les littératures américaines aient un public en Europe comme les littératures espagnole, portugaise, anglaise et française en ont un en Amérique est un des atouts les plus puissants que les nations occidentales ont en main pour faire s'épanouir une civilisation atlantique qui, en gestation depuis trois siècles, n'a pas encore réussi à prendre nettement forme, comme autrefois la civilisation méditerranéenne. On ne peut pas dire que les puissances aient encore réussi à exploiter cet atout. Ni que les écrivains, tant américains qu'européens, aient su mettre en lumière les éléments essentiels de cette civilisation en formation. Nous en sommes encore à la période des tâtonnements et nous ne nous connaissons pas encore assez bien pour savoir où nous allons les uns et les autres. Car, s'il y a communauté de langue entre les républiques du sud, les États-Unis et le Canada, d'une part, et l'Espagne, le Portugal, l'Angleterre et la France, d'autre part, il y a entre les diverses nations américaines — sauf entre les républiques espagnoles, et entre les États-Unis et le Canada de langue anglaise — des barrières linguistiques trop peu souvent franchies. Par exemple, la littérature argentine est aussi peu connue au Canada que la canadienne ne l'est en Argentine. Le facteur géographique joue contre nous, mais il nous reste la possibilité de traduire et de publier dans les autres langues parlées en Amérique un plus grand nombre d'œuvres représentatives des diverses nations du monde nouveau.

En plus des caractères conjoints déjà mentionnés plus haut, toutes les littératures américaines ont encore en commun ceci que la plupart de leurs écrivains, dont la formation intellectuelle était surtout européenne, ont souvent cherché, parfois réussi et parfois failli, à exprimer des événements, des faits géographiques ou historiques, des impressions, des sentiments, des idées et des aspirations conditionnés par un milieu aux dimensions nouvelles. Cela est encore plus vrai des Américains du nord que de ceux du sud. Mais les Américains du sud ont été plus marqués par la présence, et par l'apport, de civilisations indigènes avancées dont la contrepartie n'existait pas au nord du Rio Grande del Norte. Les littératures de l'Amérique du nord sont donc d'une certaine manière, plus européennes que celles de l'Amérique du sud — ce n'est pas là un éloge mais une simple constatation — et nous n'avons jamais eu au Canada ni *Araucana*, ni *Uruguay*, ni *Los Tymbiras*. Nous n'avons célébré que les hauts-faits des conquérants et des explorateurs venus d'Europe. Il y a donc là un principe de diversité qu'il faut signaler à côté des analogies.

Les diverses littératures américaines ne se sont pas développées toutes simultanément ni au même rythme. Les colonies espagnoles ont donné très tôt à l'Espagne un Garcilaso de la Vega et un Juan Ruíz de Alarcón, tandis que ni les treize colonies anglaises d'Amérique ni la Nouvelle-France n'ont donné aucun écrivain important à l'Angleterre ni à la France avant le siècle dernier. Le premier écrivain canadien-français important, François-Xavier Garneau, est né plus de trois cents ans après Garcilaso de la Vega et Juan Ruíz de Alarcón. On sait qu'il y avait une presse à Mexico dès 1536, mais l'imprimerie ne fit son apparition aux États-Unis qu'en 1639 et, au Canada, qu'en 1752. Au Canada français, elle n'apparut qu'en 1764, à Québec, et ce n'est qu'au milieu du XIXe siècle qu'elle se répandit dans le pays. Depuis la fondation de Québec en 1608 jusqu'à la conquête anglaise en 1763, la Nouvelle-France n'a produit aucun écrivain important. Pour assister à la véritable naissance d'une littérature nationale au Canada, il faut attendre le milieu du XIXe siècle, avec François-Xavier Garneau, Octave Crémazie et Philippe Aubert de Gaspé. La littérature anglaise au Canada est née à la même époque, si on la fait débuter avec Thomas Chandler Haliburton, Charles Sangster et William Kirby.

Le rameau français

Si la Nouvelle-France était, au milieu du XVIIIe siècle, un immense empire s'étendant de la baie d'Hudson au golfe du Mexique, cet empire n'était peuplé que de 80,000 blancs, alors que la population des treize colonies anglaises atteignaient à la même époque les 1,300,000. Il était donc fatal que la Nouvelle-France tombe aux mains des Anglais, et c'est ce qui est arrivé en 1763, lors de la signature du traité de Paris qui mettait fin à la guerre de Sept Ans. Les 60,000 colons français du Canada se trouvèrent dans une situation plus que précaire, soumis du jour au lendemain au gouvernement impérial de Londres. Ils ont survécu, conservé leurs traditions, leur foi, leur langue, leur droit civil. Ils se sont multipliés, ils étaient 800,000 au milieu du XIXe siècle, sur une population totale de 2,000,000 habitants ; en 1900, ils étaient 1,600,000 alors que les Canadiens de langue anglaise étaient 3,000,000 ; aujourd'hui, la population du Canada se divise approximativement en 8,000,000 d'anglophones, plus de 5,000,000 de francophones et plus de 4,000,000 d'autres.

Le fait français existe donc définitivement au Canada, rien ne laisse croire que les descendants des premiers occupants du pays doivent un jour être assimilés par le grand tout anglo-saxon de l'Amérique du nord. Il reste que les 5,000,000 de Canadiens qui parlent encore français sont entourés, et pénétrés, par 180,000,000 d'anglophones. C'est sans doute cette situation de minorité menacée qui, pour survivre, s'est repliée sur elle-même, qui explique le caractère conservateur, traditionnel, voire archaïque, des lettres canadiennes du XIXe siècle. Depuis deux générations, l'esprit de cette littérature s'est modifié cependant et la littérature canadienne de langue française est parvenue, depuis un quart de siècle, à un niveau jamais atteint auparavant. Tout laisse croire que son avenir sera de plus en plus brillant.

Les premiers écrivains canadiens de langue française furent tous des écrivains engagés, des hommes d'actions. Devenus sujets de Sa Majesté britannique en 1763, les Canadiens se trouvèrent alors dans une situation analogue à celle des Français sous l'occupation allemande, mais beaucoup plus précaire — ils étaient 60,000 et non 40,000,000 — et leur première littérature fut une littérature de résistance, mais une simple littérature de journalistes, d'orateurs et de juristes, sans Aragons, ni Éluards ni Vercors. Cette littérature d'action appartient à l'histoire, elle n'entre pas encore dans le royaume des belles-lettres. Mais c'est elle qui a permis aux Canadiens de langue française de garder leurs traits propres, de prendre mieux conscience de leur identité, et c'est cette littérature sans esthétique qui a rendu possible la naissance, au milieu du XIXe siècle, d'une littérature digne du nom.

Lorsque F.-X. Garneau publia son *Histoire du Canada* (1845-1848), qui reste après un siècle un des plus grands livres canadiens, la colonie venait de traverser une époque critique, une époque de troubles, au cours de laquelle les chefs des anglophones et des francophones influencés par le libéralisme européen s'étaient unis pour combattre, sur l'arène parlementaire et même par les armes (1837-1838), le régime autocratique de Londres. Aussi est-il significatif que Garneau ait achevé la première édition de son histoire l'année même où le gouvernement impérial anglais dut accorder à la colonie une large mesure d'autonomie dans la régie de ses affaires internes (1848). Il y a là plus qu'une simple coïncidence : cette grande œuvre historique est une date dans l'évolution de la conscience nationale. En ressuscitant le passé, depuis les débuts de la colonisation française jusqu'aux luttes parlementaires de son temps, Garneau a révélé aux Canadiens non seulement les faits de leur histoire trois fois séculaire, mais les traits essentiels de leur âme nationale, les conditions de leur destinées en terre américaine, les lignes de force de leur politique et leurs aspirations fondamentales.

Les deux solitudes

Il était dès lors acquis qu'il n'y aurait, au nord des États-Unis, qu'une seule nation, mais deux peuples, deux cultures, deux langues, et par conséquent deux littératures. Il allait aussi être acquis en 1867, en raison du caractère fédératif et non unitaire de la nation, que la province de Québec, presque totalement française, resterait le château-fort des Canadiens francophones et que, grâce à l'autonomie laissée aux provinces en matière de droit civil et d'éducation, la grande majorité des Canadiens de langue française trouverait dans la province de Québec, sinon ailleurs, des institutions françaises qui favoriseraient leur développement et leur épanouissement. Mais les Canadiens français, bien qu'ils représentent moins d'un tiers de la population, ont aussi pénétré les autres provinces et ils n'ont cessé de jouer un rôle important dans les affaires nationales, donnant au pays deux de ses premiers ministres : Sir Wilfrid Laurier (1896-1911) et Louis Saint-Laurent (1948-1957)

Il y a cependant, sur le plan culturel, une irréductible dualité, anglophones et francophones restant en ce domaine, non pas ennemis mais étrangers. La vérité est que les échanges culturels entre les deux groupes ethniques sont rares et discontinus, et que les Canadiens anglais connaissent mal la littérature canadienne de langue française, comme les Canadiens français connaissent peu la littérature canadienne de langue anglaise. Il y a sans doute des traductions, mais relativement peu nombreuses, et cette ignorance réciproque est due non seulement à la barrière linguistique, mais aussi au fait géographique qui, au Canada, est d'importance primordiale. Il ne faut jamais oublier que la superficie du Canada est aussi grande que celle de toute l'Europe et que sur cet immense territoire vit, répandue d'un océan à l'autre, une population trente-cinq fois moindre que celle de l'Europe. La seule province de Québec est trois fois plus grande que la France. Aussi, ne faut-il pas trop s'étonner si les échanges culturels ne sont pas pas aussi intenses au Canada qu'on pourrait le souhaiter. Les deux grandes villes, Montréal (le grand centre français) et Toronto (le grand centre anglais) sont aussi éloignés l'une de l'autre que Paris l'est de Berlin et la troisième métropole, Vancouver, est plus éloignée de Montréal que cette dernière ne l'est de Londres et de Paris. Il n'est donc pas surprenant que les Canadiens, qui ont été longtemps des coloniaux et qui n'ont qu'une faible densité de population, aient recherché leurs nourritures intellectuelles plutôt à Londres et à Paris et, plus récemment à New-York, qu'à Toronto ou à Montréal, d'autant plus que les cultures anglaise et française ont dominé l'Occident depuis trois cents ans et ont rayonné sur une grande partie du monde. Les Canadiens appartiennent donc à deux patries linguistiques qui ont leurs capitales en dehors de leurs frontières.

Les Canadiens de langue française ont peut-être senti plus que les autres habitants du nouveau monde le besoin de trouver en France un constant appui, en raison du fait qu'ils ne représentent pas trois pour cent de la population de l'Amérique du nord. C'est pourquoi la littérature canadienne de langue française, depuis Garneau jusqu'à nos jours, a toujours été si fortement influencée par la littérature française. C'est pourquoi également le thème de la solitude, de l'isolement revient comme un leitmotiv dans cette littérature, surtout depuis qu'elle a dépassé les essais pittoresques des débuts pour atteindre à une dimension véritablement humaine. Comme il se devait, après la domination de Voltaire sur toute la pensée du XVIIIe siècle, qui se retrouve au Canada au début du XIXe, l'avènement du romantisme marqua longtemps la poésie canadienne qui, plus tard, subit l'influence du symbolisme et, plus récemment, celle de l'unanimisme, du surréalisme et de tous les ismes qui encombrent notre siècle. De même, les romanciers canadiens de langue française n'ont pas été sans subir récemment l'influence d'un Mauriac, d'un Giono ou d'un Bernanos. De sorte qu'on peut dire que la littérature canadienne de langue française est — d'une certaine manière — une province de la littérature française, comme la littérature belge, suisse, haïtienne, normande ou picarde. La langue est fondamentalement la même des deux côtés de l'océan — la présence de canadianismes n'affecte guère son fonds — mais en raison de son éloignement de la métropole linguistique qu'est Paris, cette province américaine a sans doute pour les Français une saveur exotique que n'ont pas les provinces voisines. Cet exotisme est son parfum propre, son apport particulier à la culture française et, simultanément, à la culture diversifiée de l'Amérique.

Ces considérations générales étaient sans doute nécessaires pour expliquer pourquoi les lettres canadiennes de langue française sont ce qu'elles sont, pourquoi elles ont tels caractères et non tels autres, et comment elles se sont développées depuis cent ans. On ne peut comprendre complètement une littérature sans la situer dans son contexte historique.

Prédominance de l'histoire

Puisqu'ils allaient survivre, les Canadiens de langue française se devaient d'explorer, de découvrir et de révéler leur passé, et le succès de Garneau lui suscita de nombreux épigones. L'histoire de Garneau était à la fois complète, organique et bien écrite et elle a été tout de suite considérée comme une sorte de Bible nationale. Suite de tableaux où il a réuni l'essentiel sur une époque ou sur un aspect de l'histoire canadienne, cette œuvre a influencé non seulement des historiens comme Ferland, Casgrain ou Sulte, mais aussi les poètes, romanciers et conteurs qui y ont puisé largement la matière de leurs œuvres. La plus grande partie de la littérature du XIXe siècle est, en effet, d'inspiration historique, folklorique, patriotique et religieuse. C'est une littérature régionaliste, provincialiste, souvent locale même. Le premier poète digne d'attention, Octave Crémazie, n'a rien fait d'autre que d'appliquer à des sujets historiques la rhétorique de l'Empire ; il a exprimé les sentiments patriotiques de ses compatriotes et leur nostalgie de leur passé français. De même, le plus grand poète du XIXe siècle, Louis Fréchette, a été fasciné par l'éloquence et par la versatilité de Hugo et l'a imité, souvent de façon trop servile, surtout dans sa grande œuvre, *La Légende d'un Peuple* (1887), suite de poèmes épiques inspirés par les grands moments de l'histoire canadienne. À la même époque, un Pamphile Lemay a chanté avec mollesse les mœurs rustiques du pays, et un William Chapman a cherché — mais sans y parvenir — à rivaliser avec Fréchette. D'autre part, Alfred Garneau, le fils de l'historien, poète délicat, intimiste, fut le premier chez nous à chanter, en plus de la nature, ses états d'âme.

Comme la poésie, le roman fut alors surtout historique — à l'exception du *Jean Rivard* d'Antoine Gérin-Lajoie, qui n'est pas un véritable roman, mais un récit au moyen duquel l'auteur a exprimé ses vues sociales et économiques. C'est dans l'histoire que Napoléon Bourassa a puisé la matière de *Jacques et Marie* (1866), inspiré par la déportation des Acadiens ; que Joseph Marmette a trouvé celle de ses romans ; que Laure Conan a pris la plupart de ses sujets, même si elle a été la première à écrire un roman d'analyse, *Angéline de Montbrun* (1884). Mais le seul roman de l'époque qu'on lit encore avec plaisir aujourd'hui est *Les Anciens Canadiens* de Philippe Aubert de Gaspé, roman dont l'intrigue n'offre aucun intérêt, mais qui abonde en vieilles légendes et en descriptions des mœurs d'autrefois. Ce récit, écrit avec bonhomie et naturel, sur le ton intime de la conversation, compte des pages charmantes et marque, en même temps que la naissance du roman canadien, la fin d'une époque, de l'ancien régime tombé sous les coups des idées libérales. À côté des *Anciens Canadiens*, il faut placer les pittoresques récits de Joseph-Charles Taché, inspirés par les aventures des *Forestiers et Voyageurs* (1863), et les contes de Louis Fréchette, *Originaux et Détraqués* (1892).

Il n'y a pas grand'chose à dire des autres écrivains du temps qui furent surtout des hommes d'action, des journalistes, des orateurs ou des écrivains religieux et dont les œuvres relèvent plus de l'histoire des idées, ou de l'histoire tout court, que de l'histoire littéraire. À l'exception des œuvres de Philippe Aubert de Gaspé, de François-Xavier Garneau, de Louis Fréchette et d'Alfred Garneau, toute cette littérature du XIXe siècle n'offre qu'un intérêt littéraire très mince, et on peut dire qu'à la fin du XIXe siècle, la littérature canadienne de langue française restait, dans son ensemble, littérairement médiocre, humainement pauvre, de portée régionale plus qu'universelle et qu'elle n'avait pas encore trouvé son âme, les écrivains ayant naturellement été portés à décrire le milieu nouveau où ils se découvraient, les événements locaux, les mœurs pittoresques qui frappaient leur imagination, ou encore à exposer les idées sociales, économiques, politiques et religieuses qui, à leurs yeux, pouvaient le mieux assurer la survie et le progrès du petit groupe ethnique auquel ils appartenaient. Pour eux, la théorie de l'art pour l'art était une inconnue ; ils furent presque tous des hommes d'action et, si on regarde leurs écrits en fonction de l'état du peuple canadien-français à l'époque, on ne peut s'empêcher de penser qu'ils sont allés au plus urgent, au plus nécessaire et que, s'ils n'ont pas laissé de chefs-d'œuvre, ils ont du moins jeté les bases d'une littérature et rendu possible son développement futur.

Au tournant du siècle

Au tournant du siècle, des courants nouveaux se dessinèrent, surtout en poésie ; le roman ne devait être renouvelé qu'après 1930, mais la poésie canadienne prit un essor nouveau dès la fin du siècle dernier, grâce à l'exemple et aux œuvres de Nérée Beauchemin, le premier à élever la poésie rustique au niveau de l'art, et surtout d'Émile Nelligan qui, ayant fréquenté les symbolistes fut le premier, après Alfred Garneau, à donner à son œuvre un accent moderne. Sans tourner complètement le dos au romantisme, aux sujets historiques et à l'accent patriotique, la plupart des poètes de cette génération ont découvert ce que Wordsworth a appelé « the still, sad music of humanity », la poésie de l'âme. Plusieurs de ces poètes sont réunis sous le vocable de l'École littéraire de Montréal, tandis que leurs prédécesseurs constituaient ce qu'on a appelé l'École patriotique de Québec. Dans les noms donnés à ces groupes, il est significatif que « littéraire » ait remplacé « patriotique » ; mais la lutte pour la survivance française fut continuée, surtout par le parti nationaliste qui fut le mouvement d'idées le plus puissant et le plus cohérent au Canada français. Cette école de pensée naissait d'un instinct de défense devant l'augmentation numérique et l'accroissement de la puissance économique et politique du bloc anglo-saxon qui, en 1900, était deux fois plus nombreux que la minorité française. C'est à cette école nationaliste qu'appartenaient les meilleurs journalistes du début du siècle, Henri Bourassa, Olivar Asselin et Jules Fournier qui rappellent assez un Henri Rochefort. Henri Bourassa, dont ni les discours ni les articles n'ont été recueillis en volumes, a publié plusieurs ouvrages de polémique politique, tandis que les principaux articles de Jules Fournier ont été réunis dans *Mon encrier* et ceux d'Olivar Asselin dans *Pensée française*. Tout ce mouvement nationaliste a contribué à éveiller davantage le Canada français à la vie de l'esprit, et Asselin et Fournier furent aussi, à l'occasion, d'acerbes critiques littéraires.

C'est à cette époque que l'on commença à scruter un peu plus sérieusement les œuvres littéraires du passé et celles du jour. Camille Roy (1870-1943) étudia *Nos origines littéraires* (1909), écrivit une *Histoire de la littérature canadienne* (1930) et laissa une œuvre critique abondante, indulgente, moralisatrice et aujourd'hui dépassée. Parmi ses contemporains il faut mentionner Henri d'Arles, Louis Dantin et Adjutor Rivard dont on retient surtout les *Études sur les parlers de France au Canada*. Rivard fut aussi le principal artisan de la Société du parler français fondée à Québec en 1902.

Au début du siècle, un progrès réel se fit aussi sentir dans presque tous les domaines de la vie de l'esprit, ce qui devait favoriser l'essor et le renouvellement des lettres. Le niveau général de l'enseignement s'éleva peu à peu et, parmi les universitaires qui furent des éveilleurs, il faut mentionner Mgr Louis-Adolphe Paquet qui répandit le thomisme, des savants comme Mgr Thomas-Étienne Hamel et Mgr Victor-Alphonse Huard. C'est aussi à cette époque que Léon Gérin (1863-1950) a créé la sociologie canadienne en décrivant le comportement social des ruraux de la province de Québec dans *Le type économique et social des Canadiens français*. Parmi les premiers économistes, il faut mentionner aussi Errol Bouchette et Edmond de Nevers. C'est dans le domaine de l'histoire toutefois que les recherches furent les plus nombreuses et les plus poussées. Il faut mentionner Laurent-Olivier David, Alfred De Celles et Benjamin Sulte qui a touché à tous les aspects de la grande et de la petite histoire. Plus sérieuses sont les œuvres d'un Narcisse-Eutrope Dionne, d'un Joseph-Edmond Roy, d'un Auguste Gosselin, d'un Amédée Gosselin et d'un Pierre-Georges Roy (1870-1953), le meilleur spécialiste des petites choses de notre histoire. La principale œuvre de synthèse historique à l'époque fut cependant le *Cours d'histoire du Canada* de Thomas Chapais, journaliste, avocat, homme politique et professeur d'histoire à l'Université Laval.

Son cours, qui a paru en huit volumes, est une histoire de l'évolution politique du pays de 1760 à 1867. On lui doit aussi des biographies de *Talon* et de *Montcalm*. Grâce à ces historiens, et à quelques autres comme Ernest Myrand, Ernest Gagnon, Henri-Arthur Scott ou Georges Dugas, l'histoire resta au début du siècle le genre littéraire le plus cultivé, tandis que le théâtre était encore pratiquement inexistant et que le roman tombait encore au-dessous du faible niveau auquel il avait atteint au XIXe siècle. Mais la poésie connut dès lors un essor remarquable et a été renouvelée jusqu'à nos jours de génération en génération.

Quelques aînés achevèrent leur œuvre après 1900 et perpétuèrent ainsi le romantisme poétique au Canada jusqu'à la première guerre mondiale. Ce fut le cas de Fréchette, Lemay et Chapman. La poésie du terroir connut aussi une vogue rajeunie grâce à des poètes comme Gonzalve Desaulniers, Albert Ferland, Louis-Joseph Doucet et Blanche Lamontagne-Beauregard. Le meilleur poète du terroir fut cependant Nérée Beauchemin dont les deux recueils, *Les Floraisons matutinales* et *Patrie intime* révèlent un poète aux moyens limités, mais d'un goût constant et d'une sensibilité touchante. Au tournant du siècle, des accents poétiques nouveaux se firent aussi entendre ; quelques-uns découvrirent, à la suite des Parnassiens, la poésie-bibelot ; d'autres, influencés par Baudelaire, Verlaine, Laforgue ou Rollinat, s'inscrivirent dans la lignée symboliste. Aux sujets historiques, aux thèmes folkloriques et à la poésie descriptive on se mit à préférer les sujets intimes, les thèmes éternels et la musique symboliste. L'École littéraire de Montréal ne fut jamais une école au sens propre du mot, mais la simple réunion de poètes divers qui, gardant chacun sa personnalité et sa technique, n'ont été réunis que par un commun amour de la poésie.

Parmi les meilleurs poètes de ce groupe, on trouve le romantique Charles Gill qui aimait, comme Fréchette, les grands sujets et les développements lyriques ; Albert Lozeau, romantique lui aussi, mais de la lignée de Musset, qui n'a jamais élevé la voix bien haut et est resté le poète des plaisirs simples et des tristesses grises du reclus qu'il fut toute sa vie ; Jean Charbonneau et Alphonse Beauregard, tous deux attirés par les sujets philosophiques comme Sully Prud'homme ; Louis Dantin, hanté par l'inquiétude religieuse ; Arthur de Bussières, un pur parnassien ; Albert Dreux, un des premiers à manier habilement le vers libre ; et surtout le plus grand de tous, Émile Nelligan. Ce poète, qui a sombré dans la folie dès l'âge de vingt-deux ans mais qui avait déjà eu, comme Rimbaud, le temps de lancer son cri, nous a laissé des poèmes qui sont un des sommets de la poésie canadienne. Il y a dans ses vers de livresques oripeaux parnassiens, mais cet extraordinaire adolescent, idéaliste et mélancolique, dont le cerveau était peuplé de chimères, a parfois atteint à la grande poésie, soit qu'il ait laissé couler une plaintive musique ou qu'il ait célébré avec éclat ses douleurs ou ses ivresses. Plus que tout autre, Nelligan a rompu avec le passé et ouvert des voies nouvelles, ce qui ne fut pas sans aider quelques poètes, un peu plus jeunes, à faire œuvre d'art. Le colloque organisé par l'Université McGill pour marquer le 25e anniversaire de sa mort a démontré que son œuvre reste vivante et actuelle.

En marge de l'École littéraire de Montréal, quelques poètes ont aussi apporté des accents nouveaux, notamment Paul Morin, René Chopin et Guy Delahaye. Paul Morin est un virtuose du vers qui s'est plu à sertir d'images rares des poèmes ciselés comme des bijoux et inspirés par des sujets exotiques (*Le Paon d'émail,* 1911 ; *Poèmes de cendre et d'or,* 1922). René Chopin doit beaucoup, lui aussi, au Parnasse, mais son œuvre n'a pas la qualité poétique de celle de Morin. À la même époque, Guy Delahaye publiait *Les Phases* (1910) et introduisait au pays un symbolisme quelque peu bizarre, mais plein de fantaisie et de hardiesse. Il faut sans doute citer aussi le verlainien Lucien Rainier ; Jean-Aubert Loranger (1883-1942) qui importa l'unanimisme (*Les Atmosphères,* 1920), et Marcel Dugas (1883-1947) qui, en plus d'être un intéressant critique impressionniste, écrivit quelques bons poèmes en prose. Grâce à ces poètes, la poésie avait cessé d'être pure éloquence ou facile sentimentalisme ; elle accédait aux thèmes universels et devenait véritablement un art. C'est, en somme, par la poésie que la littérature canadienne-française a atteint à la maturité et ce sont les poètes qui ont créé un climat favorable au progrès des lettres. Vers 1920, le mouvement nationaliste avait certes exercé une grande influence sur les esprits et quelques historiens jouissaient d'un prestige local souvent considérable. C'étaient néanmoins des poètes qui avaient publié la plupart des livres qui ont le moins vieilli et qui, profitant du réveil des esprits, avaient contribué plus que les autres à la création d'un climat littéraire plus favorable à l'éclosion d'une littérature adulte. La poésie est restée depuis à la pointe de la littérature canadienne, même si le roman allait, entre les deux guerres, prendre sa place parmi les genres littéraires majeurs.

L'entre-deux-guerres

On ne saurait dire que la poésie canadienne-française ait connu un élan particulier entre les deux guerres ; une nouvelle génération de poètes a pris la relève et gardé le flambeau allumé, sans toutefois apporter à la poésie un renouvellement aussi considérable que celui qui s'était opéré dans les vingt premières années du siècle. Les transformations sociales amenées par la guerre, puis par la dépression économique, ont plus fortement marqué les romanciers que les poètes, du moins le semble-t-il.

C'est à cette époque que furent fondés les premiers prix littéraires importants, notamment ceux du gouvernement de la province de Québec qui équivalaient à une sorte de consécration officielle. Institués en 1922, ces prix littéraires sont devenus plus tard les plus considérables du Canada : ils sont actuellement de $4,000, $3,000 et $1,500 respectivement et constituent un véritable encouragement pour les écrivains. D'autre part, la Société royale du Canada décerne les médailles Lorne Pierce, Chauveau, Innis-Gérin et Tyrrell aux meilleurs écrivains et historiens. D'autres prix seront institués plus tard. Ces témoignages tangibles, et surtout la constitution d'un public plus attentif et plus exigeant ont favorisé le progrès des lettres après la première guerre mondiale, progrès qui ne s'est pas arrêté depuis, au contraire.

Il est curieux de constater que les années 20 ont vu renaître un romantisme qu'on avait cru mort avec Charles Gill. Tout jeune, Robert Choquette avait fait naître de grands espoirs en renouant avec le romantisme du XIXe siècle. Son premier recueil, *À travers les vents* (1925) chantait les sommets du cœur et de l'esprit, abordait tous les grands thèmes de la vie et de la mort avec une ardeur, une jeunesse et une exaltation lyrique vraiment rares. Le jeune poète avait du souffle et de l'ambition ; on trouvait cependant dans ses poèmes beaucoup de développements laborieux, d'idées incohérentes et d'impropriétés de style. Ni ses *Poésies nouvelles* (1933), ni sa *Suite marine* (1953) à laquelle il a travaillé pendant plus de vingt ans, ne répondent pleinement aux espoirs que son premier cahier avait fait naître, bien que sa dernière grande œuvre renferme des pages d'une grande densité poétique.

Robert Choquette

Choquette allait trouver un successeur en Roger Brien, qui a du souffle, mais tombe trop volontiers dans la déclamation et dans les lieux communs ; et il était entouré de toute une pléiade de poétesses qui devaient beaucoup à Lamartine, à Musset, à Renée Vivien et à la comtesse de Noailles. Ce romantisme féminin est représenté par Eva Sénécal, Medjé Vézina, Jovette Bernier, Alice Lemieux et surtout Simone Routier qui, partie du pur romantisme de l'*Immortel Adolescent* (1928), a abouti à un symbolisme religieux voisin de celui d'Henriette Charasson. L'itinéraire poétique de Cécile Chabot est le même que celui de Simone Routier et cette double évolution est un signe des temps.

Un des plus grands poètes canadiens est Alfred Desrochers dont les deux volumes, *L'Offrande aux vierges folles* (1929) et *À l'ombre de l'Orford* (1930), révèlent deux manières : d'abord des sonnets réalistes, qui restent une des meilleurs contributions à la poésie parnassienne au Canada avec leurs images pittoresques, leurs trouvailles verbales et leur précision brutale ; puis, des poèmes lyriques, simples et intimes comme *Le rondel d'automne* ou grandioses comme *La Prière* ou *L'Hymme au vent du nord,* d'un souffle si puissant. Depuis Beauchemin, Desrochers est le meilleur poète canadien qui ait puisé son inspiration dans le terroir. On peut voir un continuateur de Desrochers en Clément Marchand dont les *Soirs rouges* (1947) se composent de deux parties : la première est une série de tableaux réalistes peignant parallèlement la ville et la campagne ; la seconde chante les rêves des paysans et des citadins, Marchand parvenant dans les deux manières à une réelle puissance d'évocation un peu parente de celle de Verhæren.

On ne saurait dire que la poésie canadienne ait atteint entre les deux guerres à un niveau plus élevé qu'au début du siècle, mais elle s'est maintenue, grâce à Morin, Desrochers, Choquette et Simone Routier.

Si la poésie a dominé pendant un siècle la littérature canadienne, le roman a pris son essor entre les deux guerres. Deux facteurs favorisèrent l'éclosion du roman chez nous au cours du dernier quart du siècle. Le premier, d'ordre proprement littéraire, est la publication de *Maria Chapdelaine* (1914) par Louis Hémon qui a révélé à beaucoup la distance qui sépare une œuvre réussie des efforts laborieux de pionniers et qui a prouvé qu'il était possible de tirer de l'observation des mœurs canadiennes des romans d'intérêt universel. L'exemple de Louis Hémon a favorisé la naissance du mouvement régionaliste qui, s'il existait avant lui, n'avait pas pris conscience de ses possibilités et de ses valeurs réelles. Le second facteur est la deuxième grande guerre elle-même qui, en accélérant la migration d'une partie considérable de la population rurale vers la ville, a fait subir à la société des transformations profondes qui ont trouvé une expression littéraire dans certaines œuvres et ont marqué l'atmosphère ou le sens de beaucoup d'autres.

Ce sont sans doute ces transformations sociales qui ont amené certains romanciers à tenter d'animer dans leurs récits des problèmes patriotiques, économiques ou moraux. Ainsi, le chanoine Groulx a publié, sous le pseudonyme d'Alonié de Lestre, *L'Appel de la race* (1922) puis *Au Cap Blomidon* (1932), inspirés respectivement par la question scolaire en Ontario et par la situation des Acadiens dans les provinces de l'est ; Jean-Charles Harvey s'est préoccupé surtout de questions économiques dans des romans comme *Marcel Faure* (1922) avant d'aborder la question communiste dans *Les paradis de sable*. En 1934, il avait soulevé de vives polémiques en peignant la bourgeoisie dans *Les demi-civilisés*. Parmi les romanciers de second ordre qui ont aussi ouvert la voie au nouveau roman, il faut citer Robert de Roquebrune (*Les dames Le Marchand,* 1927), Harry Bernard (*Dolorès,* 1932), Rex Desmarchais (*La Chesnaie,* 1942), Damase Potvin (*La robe noire,* 1932), Jovette Bernier (*La chair décevante,* 1931) et le poète Robert Choquette (*La Pension Leblanc,* 1927). Mais les meilleurs romanciers de cette génération sont Georges Bugnet, Léo-Paul Desrosiers, Claude-Henri Grignon, Félix-Antoine Savard et Ringuet.

Georges Bugnet est l'auteur de deux romans qui décrivent la vie des pionniers dans l'ouest canadien : *Siraf* (1934) et *La Forêt* (1935).

Léo-Paul Desrosiers et sa femme, la romancière Michelle Le Normand.

Léo-Paul Desrosiers est le maître canadien du roman historique grâce à des œuvres comme *Les Engagés du Grand Portage* (1938) et *Les Opiniâtres* (1941), deux romans qui recréent vraiment l'atmosphère d'une époque et y animent des personnages qui, s'ils manquent de complexité ou de profondeur, possèdent une certaine présence physique qui leur donne vie, en conférant une portée humaine à des récits qui s'imposent encore par la beauté des descriptions, l'unité de la composition et du style. Léo-Paul Desrosiers est le premier des romanciers historiques qui aient élevé ce genre au niveau de la littérature viable. Il a aussi publié un récit poétique d'inspiration mystique, *L'Ampoule d'or*.

Claude-Henri Grignon a donné dans *Un homme et son péché* (1933) un récit qui fait de lui le pionnier du roman régionaliste canadien. La sobriété du récit, la justesse de la psychologie, le coloris de l'écriture et l'unité de ton et de style font de ce court roman ou de cette longue nouvelle, un des premiers récits canadiens de langue française qui s'imposent à l'attention par des qualités spécifiquement littéraires.

Cette abondance dans l'affabulation qui manque au récit de Claude-Henri Grignon, on la trouve dans *30 arpents* (1938) qui reste le chef-d'œuvre de Ringuet (Philippe Panneton) et un des quatre ou cinq grands romans de la littérature canadienne. C'est une des œuvres canadiennes qui ont une profonde résonance humaine. Ce tableau réaliste, sombre et dur de la grandeur et de la misère d'une famille de cultivateurs est une œuvre d'inspiration naturaliste qui rappelle Zola, non seulement par l'atmosphère, mais aussi par le sens qu'il manifeste du détail révélateur et de l'observation froide et précise des tares humaines. Bien qu'on y retrouve ce même goût du détail et une non moins grande abondance dans l'affabulation, *Le poids du jour* (1949) est un roman inférieur à *30 arpents* parce que, cette fois, l'auteur n'a pas su dominer une matière trop complexe et lui imposer cette unité d'atmosphère, d'action, de ton et de style qui donnait à son premier roman sa densité et sa puissance d'émotion. *Le poids du jour* est néanmoins un roman dont la valeur documentaire est très grande, parce que c'est l'entreprise romanesque la plus considérable qui ait encore été tentée au Canada français pour évoquer ce drame individuel et collectif de la migration de la campagne à la ville qui amène des individus mal préparés à faire subitement face à un monde complexe au sein duquel ils ne parviennent pas à maintenir cette unité intérieure qu'ils avaient pu établir dans un monde aux dimensions étroites.

Ringuet (Dr Philippe Panneton)

Les récits de Félix-Antoine Savard, au contraire, sont éminemment poétiques et ont une vertu de dépaysement qui les situe aux antipodes de ceux de Grignon et de Ringuet. À la vérité, ni *Menaud, maître-draveur* (1937), ni *La Minuit* (1948) ne sont des romans au sens propre du mot. Ce sont respectivement un récit épique et un récit parabolique, dans lesquels l'auteur transpose sur un plan sublime ou symbolique les événements les plus quotidiens dont sont tissées des vies de colons. Les personnages ne sont ici que des prétextes à développements lyriques ou idéologiques et leur irréalité, en même temps que la gratuité de l'affabulation, empêche ces récits d'être de véritables romans. L'auteur est plus un poète qu'il n'est un romancier, et ce qui fait la valeur de son œuvre, c'est la richesse de sa langue imagée et rythmée qui est une des plus belles de toute la littérature canadienne, comme en font foi aussi les textes courts qu'il a réunis dans *L'Abatis* et dans *Le Barachois*.

En plus de quelques romans à thèse assez médiocres et de quelques bons romans historiques, les romans les plus représentatifs de l'entre-deux-guerres furent des romans de mœurs. Les romanciers de cette génération ont mis en lumière beaucoup plus le comportement social de leurs personnages que leurs drames intimes. Ce n'est qu'avec la jeune génération que le roman d'analyse a pris son essor, mais au début de la deuxième guerre mondiale quelques très bons romans avaient non seulement valu à leurs auteurs la notoriété nationale, mais avaient aussi retenu l'attention de l'étranger. Des œuvres comme *30 arpents*, *Les Engagés du Grand Portage* et *Menaud, maître-draveur* élevaient la prose d'imagination au niveau de l'art authentique.

Par contre, le théâtre n'offrait encore qu'un mince intérêt. Les moins mauvaises pièces, comme *Le bouquet de Mélusine*, de Louvigny de Montigny, *Le presbytère en fleurs*, de Léopold Houlé, ou *Jonathas*, du Père Gustave Lamarche, restaient des essais mal réussis. Le conte non plus n'atteignait guère à la grande littérature, bien qu'on trouve quelques bons récits dans *La vie en rêve*, de Louis Dantin, *L'homme qui va*, de Jean-Charles Harvey, *À la hache*, d'Adolphe Nantel, ou *Quarante ans sur le bout du banc*, de l'humoriste Edmond Grignon. Le récit autobiographique de Robert de Roquebrune, *Testament de mon enfance* (1951) est nettement supérieur à tous ses romans et, en évoquant la vie au début du siècle, fait sentir combien de choses ont changé au pays de Québec. La suite de ce récit autobiographique, *Quartier Saint-Louis* (1966) est un peu moins émouvant.

Les années '30, qui ont vu la littérature canadienne mûrir, ont été l'époque la plus importante de l'activité critique. Louis Dantin continua à exercer une influence profonde et discrète sur beaucoup d'écrivains plus jeunes que lui, et il a paru alors plusieurs ouvrages de critique dont les plus remarquables sont *Carquois* et *Égrappages*, d'Albert Pelletier ; *Sous le signe des muses*, de Carmel Brouillard ; *Ombres et clameurs*, de Claude-Henri Grignon qui, de 1936 à 1941, rédigea aussi ses violents *Pamphlets de Valdombre* ; *De livres en livres* et *Les lettres au Canada français*, de Maurice Hébert ; *Ébauches critiques*, du Père M.-A. Lamarche ; *En feuilletant nos écrivains* et *Sur les pas de nos littérateurs*, de Séraphin Marion, auxquels ouvrages il faut ajouter les essais critiques parus dans des revues comme *Les Idées* (1935-1939), *La Relève* (1934-1941) ou des journaux comme *L'Ordre*, *La Renaissance* ou *Le Devoir*. Jamais encore on n'avait autant discuté littérature, jamais autant de critiques n'avaient souligné les mérites et les faiblesses des œuvres nouvelles ni parlé de problèmes littéraires. C'est véritablement entre les deux guerres que la littérature canadienne a pris conscience d'elle-même.

Cette prise de conscience dépassait d'ailleurs la littérature proprement dite : elle s'observait dans tous les domaines. Le Statut de Westminster (1931) déclarait que les nations du Commonwealth étaient égales entre elles et indépendantes les unes des autres. C'était là une étape décisive dans la conquête de l'indépendance que préconisait l'école nationaliste, et un disciple de Bourassa, Léopold Richer, analysait la situation du Canada entre l'Angleterre et les États-Unis dans *Marché de dupes?*, *Notre problème politique* et *Le Canada et le bloc anglo-saxon*, prolongeant ainsi par le livre l'action du *Devoir* que dirigeait Georges Pelletier. Parmi les meilleurs journalistes de l'époque, citons encore Jean-Charles Harvey, qui, lui, était anti-nationaliste, et Louis Francœur, aussi érudit que violent.

On retrouvait un nationalisme plus serein chez l'économiste Édouard Montpetit, défenseur des valeurs françaises traditionnelles contre le gigantisme des États-Unis, et dont les ouvrages sont écrits dans une langue claire et élégante : *Au service de la tradition française, Les cordons de la bourse, D'azur à trois lys d'or, La conquête économique.* Ceux qu'il a formés ne sont pas ses égaux comme écrivains, mais leurs œuvres comptent dans l'histoire des idées. C'est le cas d'un Esdras Minville, l'auteur de *Notre milieu* et du *Citoyen canadien-français* ; d'un Jean-Marie Nadeau et d'un Gérard Parizeau. Victor Barbeau, fondateur de l'Académie canadienne-française, est également préoccupé de linguistique (*Le Ramage de mon Pays, le Canada français*) et d'économie (*Pour nous grandir*) ; mais ni un Papin Archambault, s.j., ni un Arthur Saint-Pierre ne maintiennent la sociologie au niveau où l'avait portée Léon Gérin. Les sciences pures et appliquées font de grands progrès, et l'œuvre la plus monumentale de l'époque est *La Flore laurentienne*, du Frère Marie-Victorin. La philosophie, tout en restant traditionnellement scolastique, suscite des travaux aussi importants que ceux du Père Louis Lachance : *Le concept de droit, L'humanisme politique de saint Thomas, La philosophie du langage, L'être et ses propriétés* ; du Père Louis-Marie Régis, o. p. : *L'Opinion selon Aristote et L'Odyssée de la métaphysique* ; de Charles de Koninck : *De la Primauté du bien commun contre les personnalistes.*

Victor Barbeau, fondateur de l'Académie canadienne-française.

L'histoire, il va sans dire, est aussi restée un genre littéraire très pratiqué entre les deux guerres, et ici un nom domine tous les autres : le chanoine Lionel Groulx, dont l'œuvre abondante et vigoureuse est peut-être la plus importante de toute la littérature historique du Canada français. Le chanoine Groulx a publié plus de trente ouvrages depuis *La découverte du Canada* jusqu'à *L'Indépendance du*

Canada en passant par *Notre maître le passé, La naissance d'une race, Lendemain de conquête* et *La Confédération canadienne.*

Parmi les meilleurs historiens de cette génération, on compte Gustave Lanctot, l'auteur de *L'Administration de la Nouvelle-France, Le Canada d'hier et d'aujourd'hui, Jacques Cartier devant l'histoire* et d'une *Histoire du Canada* en trois volumes ; Jean Bruchési, l'auteur d'une *Histoire du Canada* et de *Canada, réalités d'hier et d'aujourd'hui* ; Mgr Arthur Maheux, auteur de *Ton histoire est une épopée* ; Aegidius Fauteux, infatigable chercheur qui a relativement peu écrit ; Gérard Filteau qui a publié une *Histoire des Patriotes* : Robert Rumilly, qui a dilué en plus de trente volumes une *Histoire de la province de Québec* encore inachevée ; auxquels il faut ajouter un géographe, Benoît Brouillette, à qui nous devons d'excellents ouvrages sur *La chasse des animaux à fourrure au Canada* et *La pénétration du continent américain par les Canadiens français.*

Le chanoine Lionel Groulx

Au moment où le Canada allait entrer dans le deuxième conflit mondial, les Canadiens français avaient une vue plus juste et plus complète de leur passé et de leurs traditions, ils étaient plus conscients des problèmes sociaux et économiques qui résultaient de leur situation géographique autant que de leurs origines françaises ; ils commençaient à s'intéresser à la spéculation philosophique et à comprendre l'importance des sciences et des techniques ; ils continuaient à exprimer leur âme individuelle et collective dans la poésie et ils se découvraient assez fidèlement peints dans quelques bons romans. Une génération nouvelle allait venir et pousser encore plus loin les limites de la recherche et l'art de l'expression. L'heure était venue où la littérature canadienne manifesterait un comportement véritablement adulte.

La littérature d'aujourd'hui

Il était à prévoir que les progrès accomplis entre les deux guerres allaient continuer pendant et après la deuxième guerre mondiale. C'est ce qui s'est produit. L'exemple des aînés était un encouragement pour les jeunes qui bénéficiaient également de l'élévation graduelle du niveau de culture et des progrès de la recherche. Ces progrès furent d'ailleurs précipités par suite de la guerre et, si paradoxal que ce puisse paraître, par la défaite de la France en 1940. L'occupation allemande coupa la France métropolitaine du reste du monde libre et la littérature d'occupation resta sans doute presque toute inconnue au Canada jusqu'après la guerre ; mais devant le silence de la France les Canadiens de langue française sentirent le besoin de s'exprimer davantage et de combler ainsi en partie le vide que créait ce qui vu d'ici semblait être un silence presque total. De plus, de nouvelles maisons d'édition surgirent à Montréal pour éditer ou rééditer des œuvres françaises, y compris celles de plusieurs écrivains français alors en exil. Les écrivains canadiens trouvèrent ainsi beaucoup plus facilement des éditeurs qui acceptèrent de publier leurs œuvres, ce qui n'avait pas été le cas pendant les dures années de la crise économique. Enfin, la guerre elle-même a remis en question les grands problèmes de l'homme et de la société, ce qui n'a pas été sans marquer la nouvelle littérature dont le ton est devenu plus grave. Ainsi, la poésie des années 40 et 50 est certes plus tourmentée que jamais auparavant, elle est plus ésotérique aussi ; le roman est peuplé de personnages plus complexes et a atteint à de nouvelles dimensions spirituelles. Sans doute, le théâtre ne faisait encore que de premiers pas mal assurés, et le conte restait un genre assez mal pratiqué ; mais quelques penseurs, sociologues, économistes, tournant le dos aux faciles lieux communs et aux généralisations hâtives, sortirent des sentiers battus et rejoignirent les préoccupations de l'époque. Le progrès accompli dans les sciences pures se retrouve, à un degré moindre, dans les sciences de l'homme devenues elles aussi plus exactes, notamment l'histoire. Il est sans doute trop tôt pour tenter de porter un jugement définitif sur cette époque récente — nous n'avons pas encore le recul voulu pour en juger froidement — mais ce qui est certain, c'est que cette littérature contemporaine manifeste un approfondissement de la conscience humaine en même temps que des exigences artistiques plus grandes. Ce n'est pas par hasard que quelques écrivains canadiens de langue française ont aujourd'hui des lecteurs à l'étranger, et publient même à Paris ; c'est que leurs œuvres atteignent désormais à une certaine universalité, parlent une langue que peuvent comprendre tous les hommes.

Évidemment, dans cette littérature actuelle tout n'est pas nouveau. Plusieurs écrivains de la génération antérieure ont continué leur œuvre après la guerre, et la plupart d'entre eux sont restés fidèles à eux-mêmes. C'est le cas de poètes comme Robert Choquette et Jovette Bernier, toujours marqués par le romantisme ; c'est le cas aussi de romanciers comme Harry Bernard ou Jean-Charles Harvey qui ont continué à écrire des romans d'idées. Par contre, comme on l'a vu, Ringuet a évolué du roman paysan à la fresque sociale ; délaissant le roman historique, Léo-Paul Desrosiers a publié un récit d'inspiration mystique, l'*Ampoule d'or,* qui est une réussite, et des romans d'analyse qui n'en sont pas ; partis d'un romantisme attardé, François Hertel et Simone Routier ont abouti à un symbolisme religieux marqué par l'influence de Claudel. Ces aînés, et quelques autres, n'ont pas été étrangers à la profonde révolution intellectuelle et spirituelle opérée par les meilleurs écrivains de la présente génération et qui se manifeste de diverses manières dans tous les genres littéraires.

Orientations nouvelles

François Hertel a été un des premiers à semer l'inquiétude parmi la jeunesse sur laquelle il a eu une forte influence dans les années '40. Cette influence fut surtout négative, elle a contribué beaucoup plus à remettre en question les idées toutes faites et à renverser les faux dieux qu'à proposer des valeurs stables pour instaurer un ordre nouveau. Des essais comme *Leur inquiétude* (1930), *Pour un ordre personnaliste* (1942) et *Nous ferons l'avenir* (1945) ont tous quelque chose de cérébral et de livresque, mais ils ont néanmoins exercé une influence assez étendue à l'époque. Depuis son exil en France, il a poursuivi son œuvre poétique et philosophique sur un ton de plus en plus tragique, mais sans se dépasser, et il a perdu l'influence qu'il a longtemps exercée sur les jeunes qui l'ignorent de plus en plus. Ses récentes *Méditations philosophiques* (1963) où il recourt à un humour parfois assez noir, sont d'un pessimisme stérile.

André Dagenais s'est voulu, lui aussi, un prophète des temps nouveaux mais ses traités, nébuleux et indigestes (*Vers un nouvel âge, Restauration humaine, Dieu et chrétienté, l'Emmanuel*) constituent une ambitieuse somme nouvelle où la confusion de la pensée le dispute à l'extravagance de l'expression.

Pendant que les aînés restaient fidèles au thomisme enseigné dans tous les collèges et universités et produisaient des commentaires dont l'intérêt n'est pas négligeable — *L'humanisme politique de saint Thomas,* du Père Louis Lachance, o. p., *L'opinion selon Aristote,* du Père Louis-Marie Régis, o. p., *De la primauté du bien commun,* de Charles de Koninck — d'autres se sentaient de plus en plus attirés par la pensée contemporaine dont ils exploraient diverses avenues. Ainsi, le Père Henri Gratton a étudié les méthodes et les idées de Freud, Adler et Jung dans *Psychanalyses d'hier et d'aujourd'hui* ; le Père Roméo Arbour a analysé l'influence des écrivains sur Bergson et celle de ce dernier sur la littérature du XXe siècle dans *Henri Bergson et les lettres françaises* ; plus récemment, Bertrand Rioux a publié un ouvrage sur *L'Être et la vérité chez Heidegger et saint Thomas*, tandis que le professeur Émile Simard a étudié les idées centrales du matérialisme dialectique depuix Marx jusqu'à nos jours dans *Communisme et science*.

L'ouvrage philosophique le plus remarquable, le plus personnel en tout cas, est *L'inquiétude humaine*, de Jacques Lavigne, petite somme de philosophie chrétienne qui doit beaucoup à saint Thomas, mais plus encore à saint Augustin et à Blondel, et qui, reposant sur l'intuition première du caractère fini de tout ce qui est objet d'expérience humaine, débouche immédiatement sur la conscience de l'existence d'un Absolu qui seul peut combler l'insatisfaction congénitale de l'homme. Toute cette réflexion porte en définitive sur l'usage que l'homme fait du temps comme instrument de son salut ou de sa perte. Jacques Lavigne a échappé au jargon scolastique et son livre est de ceux dont on peut dire qu'alors qu'on s'attendait à y trouver un auteur, on est tout heureux d'y trouver un homme.

Est-ce un signe des temps que la publication de ce cahier de l'Association générale des étudiants de l'Université de Montréal où ont été réunis des textes d'étudiants en philosophie qui, en dépit de la philosophie scolastique qu'on leur a enseignée, se réfèrent abondamment à Kierkegaard, à Marx, à Meyerson, à Lavelle, à Whitehead, à Sartre, à Merleau-Ponty et à Duméry ? Ces *Essais* philosophiques ont certes un accent nouveau au Canada français.

De même, alors qu'il existe toute une littérature religieuse qui est, si l'on peut dire, de la plus stricte obédience et dont le récent ouvrage du Père René Latourelle, *Théologie de la Révélation*, est l'un des plus remarquables, on trouve, d'autre part, des livres qui sortent des sentiers battus comme *L'homme d'ici*, du Père Ernest

Gagnon qui instruit le double procès du nationalisme moderne et de l'infantilisme religieux pour les dépasser tous deux dans une conception de la vie mystique qui est fortement enracinée dans l'homme total ; ou encore la thèse aussi originale et pénétrante que discutable et discutée de Raymond Barbeau sur *Un poète luciférien, Léon Bloy*. Le livre capital, toutefois, dans cet ordre est le recueil d'essais de Jean Le Moyne, *Convergences*, où la pensée la plus forte, la plus personnelle, la plus dépourvue de préjugés, pénètre jusqu'au sens profond des œuvres et des événements. Qu'il traite de l'atmosphère religieuse du Canada français ou de la femme dans la civilisation ou dans la littérature, de Teilhard de Chardin ou de Jouhandeau, de ses lectures anglaises ou d'œuvres musicales, Jean Le Moyne le fait toujours dans une perspective très élevée. Il n'y a pas d'exemple dans la littérature canadienne-française d'une méditation religieuse et humaniste aussi constante et aussi exigeante que celle dont les textes réunis dans *Convergences* sont les jalons.

Jean Le Moyne

En somme, on constate qu'à côté de la pensée traditionnelle se manifestent des préoccupations nouvelles, et cela est tangible dans la revue bilingue *Dialogue* publiée par l'Association canadienne de philosophie et qui a un ton plus actuel que les *Études et Recherches* des Pères Dominicains, les *Sciences ecclésiastiques* des Pères Jésuites, le *Laval théologique et philosophique* ou la *Revue de l'Université d'Ottawa*.

Une même volonté de renouvellement se retrouve, et souvent beaucoup plus accusée, dans d'autres disciplines. Léon Gérin avait été le pionnier des études sociologiques au Canada français, et ces dernières ont pris un essor remarquable sous l'inspiration du Père Georges-Henri Lévesque, o.p., qui a fondé l'École des Sciences sociales et économiques de l'Université Laval où a été formée toute une équipe de sociologues et d'économistes dont les travaux ont modifié les notions vagues qu'on avait au sujet du comportement collectif des Canadiens français et des conditions économiques dans lesquelles ils vivent. Des études économiques sérieuses ont aussi été entreprises à l'École des Hautes Études commerciales, dirigée longtemps par Esdras Minville et où se distinguent des économistes comme Roland Parenteau, François-Albert Angers, Gérard et Jacques Parizeau. Plus récemment, la Faculté des Sciences sociales de l'Université de Montréal a été réorganisée par Philippe Garigue qui est aussi l'auteur d'*Études sur le Canada français*, de *La Vie familiale des Canadiens français* et de *L'Option politique du Canada français*. Parmi les membres de l'équipe du Père Lévesque, il faut mentionner surtout Jean-Charles Falardeau, auteur de nombreuses monographies remarquables et qui a dirigé la publication de deux livres fort importants, les *Essais sur le Québec contemporain* (1953) et *La Dualité canadienne* (1960) ; les sociologues Léon et Gérard Dion, Fernand Dumont, auteur du remarquable essai *Pour la conversion de la pensée chrétienne,* qui est aussi un bon poète, et l'économiste Maurice Lamontagne, qui fut ministre dans le gouvernement du Canada, et auteur d'un livre important sur *Le fédéralisme canadien*. Il y a aussi le politicologue Pierre Elliott Trudeau, dont l'ouvrage sur *La Grève de l'amiante* est un document majeur sur la société canadienne-française ; l'anthropologue Marcel Rioux, l'économiste André Raynauld, le versatile Pierre Vadeboncœur, les juristes Louis Baudoin, Marie-Louis Beaulieu, Jean-Charles Bonenfant et André Morel dont les écrits éclairent divers aspects de la réalité canadienne-française.

Tous ces travaux font voir d'où vient le Canada français, où il en est et où il semble aller, ce qu'on peut tenter de découvrir aussi en lisant des revues d'intérêt général comme *Relations, Maintenant, Cité libre,* des revues de jeunes comme *Liberté* ou *Parti pris* et, évidemment, les grands journaux où l'on compte quelques journalistes de bonne classe. Il est sans doute trop tôt pour établir quels sont les journalistes du jour qui laisseront la marque la plus profonde sur l'opinion publique et nous n'avons pas encore le recul voulu pour décider quels sont les meilleurs successeurs d'Olivar Asselin, Louis Francœur et Georges Pelletier. Il faut signaler, toutefois, l'effort continu de l'équipe du *Devoir* dirigée pendant quatorze ans par Gérard Filion et où se distinguent André Laurendeau, attiré aussi par la littérature pure et le théâtre ; Paul Sauriol, Claude Ryan et le prolixe Jean-Marc Léger. *La Presse* a fait peau neuve sous l'influence d'abord de Jean-Louis Gagnon, continuée aujourd'hui par Gérard Pelletier. *La Patrie*, dirigée pendant plusieurs années par Roger Duhamel, qui est aussi un des meilleurs critiques littéraires, est devenue hebdomadaire et on y suit avec intérêt les articles aussi nets que courts d'Yves Michaud, tandis qu'à Québec, on remarque surtout ceux de Lorenzo Paré. Cette liste est trop incomplète certes, mais elle indique les noms de la plupart des journalistes qui retiennent aujourd'hui l'attention des lecteurs. C'est peut-être ici le moment de mentionner certains grands reportages particulièrement réussi comme *Blanc et Noir* d'Hélène Gagnon, *Autour du monde* de Jacques Hébert, *Afrique française, Afrique nouvelle* de Jean-Marc Léger ou *Vent du large* de Jean-Louis Gagnon. Un petit livre inclassable, écrit par un religieux, *Les insolences au Frère Untel*, fait le procès de la langue, de l'éducation et de la spiritualité au Canada et a connu le plus grand succès de librairie de toute l'édition canadienne. C'est, à y bien regarder, un livre grave.

Pendant que s'opèrent graduellement tous ces changements dans le climat du Canada français, les historiens continuent à explorer le passé, mais l'histoire elle-même évolue. Deux maîtres vénérables poursuivent leur œuvre avec la même persévérance, le chanoine Lionel Groulx et Gustave Lanctot, mais une nouvelle équipe d'historiens s'est constituée où se distinguent surtout Guy Frégault, Marcel Trudel, Michel Brunet, Louis-Philippe Audet et Robert Sylvain. Ce dernier est un spécialiste de l'histoire religieuse du XIXe siècle, tandis qu'Audet a publié les quatre premiers volumes d'une histoire de l'enseignement dans la province de Québec. Michel Brunet, un des rares historiens canadiens-français à s'intéresser à l'histoire récente du Canada, est surtout un polémiste dont les ouvrages, *La présence anglaise et les Canadiens* et *Canadians et Canadiens*, ont été fort discutés. Après

Guy Frégault
historien, sous-ministre des Affaires culturelles
de la province de Québec.

avoir assez médiocrement débuté par *L'influence de Voltaire au Canada,* Marcel Trudel a écrit quelques-uns des ouvrages les plus sérieux des dernières années, notamment *Louis XVI, Le Congrès américain et le Canada, L'Église canadienne sous le régime militaire, L'Esclavage au Canada,* une biographie de *Chiniquy* et les deux premiers volumes d'une nouvelle *Histoire de la Nouvelle-France.* Enfin Guy Frégault, qui a renoncé à l'enseignement pour devenir le premier sous-ministre du nouveau ministère des Affaires culturelles de la province de Québec, domine tout le groupe grâce à de maîtres livres comme *Iberville le conquérant, La civilisation de la Nouvelle-France, François Bigot, Le grand marquis, La Guerre de la Conquête.* Enfin, dix historiens réunis en un groupe des Dix publient chaque année un *Cahier des Dix* où se trouvent d'importantes études brèves, tout comme dans la *Revue d'histoire de l'Amérique française* publiée par l'Institut du même nom. L'histoire a cessé d'être une rhétorique, elle est de plus en plus une science exacte, on dispose de sources de plus en plus nombreuses et de mieux en mieux inventoriées, et on se méfie désormais des généralisations hâtives. L'histoire y perd peut-être un certain charme, mais elle est devenue une des véritables sciences de l'homme.

Enfin, avant d'en venir à la littérature d'imagination de notre temps — poésie, roman et théâtre — il faut signaler l'effort des critiques qui cherchent à saisir le sens, la portée et la beauté propres aux œuvres et à dégager les tendances générales de cette littérature.

Critique et langue

Parmi les nombreux critiques littéraires qui tiennent des rubriques dans les journaux et revues depuis un quart de siècle, deux noms dominent ! René Garneau et Roger Duhamel. Le premier, dont les trop rares articles sont toujours d'un goût sûr, d'une érudition d'humaniste et d'une écriture châtiée, n'a malheureusement jamais recueilli en volume ses textes épars dans plusieurs journaux et revues. Le second, qui a touché à tout avec une facilité étonnante, a publié *Les moralistes français*, *Littérature* et *Lettres à une Provinciale,* trois livres qui portent sur les lettres françaises ; il est malheureux qu'il n'ait jamais réuni en volume les meilleurs articles qu'il a semés à tout vent sur les écrivains canadiens et qui pourraient constituer une histoire assez complète de la littérature canadienne de notre époque. Le romancier Robert Charbonneau a réuni dans *Connaissance du personnage* des essais pénétrants sur quelques romanciers et dramaturges selon son cœur, et Marcel Raymond a contribué à faire mieux connaître quelques poètes français et le théâtre du siècle (*Le Jeu retrouvé*). Il faut signaler aussi, parmi les plus jeunes, Gilles Marcotte qui a réuni dans *Une littérature qui se fait* des essais qui comptent parmi les meilleurs qu'on ait écrits sur les poètes canadiens ; Jean Hamelin, critique du *Devoir* jusqu'à sa récente nomination comme conseiller littéraire à la Maison du Québec à Paris et qui a brossé le tableau du *Renouveau du théâtre au Canada français* ; Pierre de Grandpré (*Dix ans de vie littéraire au Canada français*), Jean Ménard (*De Corneille à Saint-Denys-Garneau*), Jean-Éthier Blais, Clément Lockquell. Parmi ceux qui sont plutôt des historiens de la littérature que des critiques il faut mentionner Gérard Tougas à qui l'on doit une *Histoire de la littérature canadienne-française* ;

Les critiques Marcel Raymond et Gilles Marcotte encadrent le romancier Jean Simard, récipiendaire du Prix Duvernay 1963.

Paul Wyczynski, auteur d'une étude très poussée sur Nelligan et qui dirige les savantes *Archives des lettres canadiennes* ; le folkloriste Luc Lacourcière et le poète et romancier Gérard Bessette qui a aussi publié une thèse sur *Les images dans la poésie canadienne-française.* Il y a enfin Gérard Morisset, historien des beaux-arts au Canada ; Jean Béraud, historien et critique du théâtre ; Jean Vallerand, critique musical; le peintre et romancier Jean Simard qui a réuni dans *Répertoire* des réflexions sur les artistes et l'art, sur les écrivains et la littérature, et le poète Pierre Trottier qui, dans *Mon Babel,* cherche à définir la situation de l'écrivain canadien-français d'aujourd'hui non seulement dans son milieu canadien mais par rapport à la sensibilité contemporaine. C'est aussi ce qu'ont cherché à faire les collaborateurs du deuxième cahier de l'A. G. E. U. M.[1] intitulé *La littérature par elle-même.*

Naturellement, comme le français du Canada a évolué différemment du français de France, du moins en partie, et comme il

[1] Association générale des Étudiants de l'Université de Montréal.

est sans cesse menacé par l'anglicisme contre lequel il faut lutter sans répit, les études de linguistique ont au Canada une importance qu'on ne saurait mésestimer. À la suite de pionniers comme Adjutor Rivard (*Études sur les parlers de France au Canada*), Louvigny de Montigny (*La langue française au Canada*) et autres, Pierre Daviault s'est surtout penché sur les problèmes de traduction (*Traduction*), tandis que Victor Barbeau étudiait *Le ramage de mon pays*, Jean-Marie Laurence saisissait *Notre français sur le vif* et Roch Valin lançait des *Cahiers de linguistique structurale*. En 1930 avait paru un utile *Glossaire du parler français au Canada* et, en 1962, un nouveau *Dictionnaire canadien* paraissait préparé, par Daviault, Vinay et Alexander. Ces travaux sont tous fort utiles et permettent d'étudier non seulement les néologismes canadiens, mais aussi les acceptions nouvelles de mots français. Le gouvernement de la province de Québec a récemment fondé *l'Office de la langue française* actuellement dirigé par le poète Maurice Beaulieu.

L'attention du public est encore attirée sur les meilleures œuvres par l'attribution de prix et médailles. Les prix littéraires de la province de Québec, mentionnés plus haut, restent les plus importants. Fondés par la *Canadian Authors Association* en 1936, les prix du Gouverneur général sont financés depuis 1959 par le Conseil des Arts du Canada et attribués depuis lors aux écrivains de langue française comme de langue anglaise pour la poésie, le roman et les autres genres littéraires. En 1943, la Société Saint-Jean-Baptiste de Montréal établissait le prix Duvernay attribué chaque année à un auteur pour l'ensemble de son œuvre. Depuis 1949, le prix du Cercle du Livre de France est remis à l'auteur d'un roman manuscrit et a ainsi permis de lancer quelques-uns des meilleurs écrivains de la jeune génération. En 1963, le maire Drapeau a fondé le Grand Prix littéraire de la ville de Montréal. Il y a aussi le prix Du Maurier pour la poésie, le prix de l'humour C. Déom, ainsi que les médailles de la Société royale du Canada.

La Société royale du Canada, fondée en 1882, publie évidemment des mémoires annuels, ainsi qu'une collection de *Studia Varia*. Quant à l'Académie canadienne-française, elle public des

Le jury de fondation du Prix du Cercle du Livre de France (1949).
(Assis) : Luc Lacourcière, Léo Cadieux, Jean Béraud, Geneviève de la Tour Fondue-Smith, Dostaler O'Leary. (Debout) : René Garneau, Jean-Pierre Houle, Roger Duhamel, Jean Chauvin (absent Paul l'Anglais).

Cahiers au rythme d'un ou deux par année. Il y a une « Société des écrivains canadiens » affiliée à la Fédération internationale des Sociétés de gens de Lettres, et un Salon du Livre annuel à Montréal qui est devenu une des expositions les plus importantes du genre. Depuis quelques années, il y a aussi des *Rencontres* des écrivains canadiens, et il faut ajouter que la radio et la télévision ont toujours eu des programmes d'actualités littéraires et artistiques, en plus de fournir aux dramaturges un nouveau moyen de communication. Enfin, il faut mentionner la collection des *Écrits du Canada français*, qui abonde en textes de qualité, et souligner que des poètes sont souvent invités à lire leurs poèmes dans des boîtes à musique, cafés et caves. En somme, l'activité littéraire est de plus en plus grande et de plus en plus variée.

La poésie

Quatre noms dominent la nouvelle poésie : Saint-Denys-Garneau, Alain Grandbois, Anne Hébert et Rina Lasnier. La plus grande partie de la jeune poésie s'inscrit également dans le prolongement de ces quatre œuvres dominantes. En comparant leurs œuvres, et celles des plus jeunes, à celles de Choquette, de Desrochers ou de Simone Routier, on ne peut manquer de constater que nous entendons un langage nouveau : non seulement les sujets, ou les thèmes, qui retiennent l'attention des poètes sont fort différents, mais les techniques ont évolué radicalement et, ce qui est encore plus important, la notion même de poésie a changé non moins considérablement. Il en est d'ailleurs ainsi dans tout l'Occident : qui compare Moréas à Guillevic, Francis Thompson à Dylan Thomas ou Bliss Carman à Irving Layton a peine à les réduire à un commun dénominateur, et cela est vrai aussi, au Canada de Lozeau et de Giguère, de Morin et de Lapointe. Les poètes canadiens de langue française continuent à subir l'ascendant des poètes français et à réagir devant cette influence qui s'exerce toutefois avec un moindre retard qu'autrefois. On a vite fait de constater que plusieurs d'entre eux ont lu Michaux et Artaud, Char et Guillevic, Prévert et Bonnefoy, mais ils sont néanmoins des poètes canadiens ayant leur individualité propre. Ainsi, Pierre Trottier a beau publier des *Poèmes de Russie,* il n'en est pas moins un poète canadien par une certaine qualité de la sensibilité comme par son expérience de l'espace et du temps : on ne s'y trompe pas. En somme, l'attraction de la France se manifeste encore, influence multiple et diverse, influence souvent à retardement qu'on peut observer dans des œuvres qui ont un certain caractère anachronique. Ainsi, entre la fusée interplanétaire et la bombe à hydrogène, la voiture à traction animale et le vieux rouet inspirent encore certains poètes : les uns ne sont d'ailleurs pas plus poétiques que les autres, tout dépend de ce que le poète en fait. L'anachronisme, en définitive, n'est pas tant dans l'objet que dans le regard ou dans la pensée du poète : les « ruines » de Giguère sont plus modernes que les « gratte-ciel » de Brien.

Aux deux extrémités de l'axe poétique on trouve le sentimentalisme éternel qui est perpétué par des sous-Coppée, et un ésotérisme non moins facile dans lequel sombrent les sous-Breton. Les uns ne valent guère mieux que les autres. De toute manière, une partie importante de la production poétique récente est vraiment une poésie de l'âge atomique. Il n'est peut-être pas étonnant que la désintégration des formes poétiques traditionnelles soit contemporaine de la fission de l'atome : il y a peut-être là un phénomène d'osmose naturel. En tout cas, on retrouve dans la poésie canadienne récente cette angoisse qui est le lot des hommes de notre temps, les premiers à posséder le redoutable pouvoir de mettre fin à toutes les civilisations et à l'espèce humaine elle-même. Une partie importante de cette poésie a un accent nettement tragique, même lorsque le poète aboutit au terme de son expérience à chanter la joie reconquise. Enfin, cette poésie n'est plus dominée par l'histoire ou la nostalgie du passé : elle est l'expression d'hommes et de femmes d'aujourd'hui.

Les voix de Saint-Denys-Garneau, Alain Grandbois, Anne Hébert et Rina Lasnier sont bien des voix de notre temps. Mort jeune après s'être réfugié dans le silence comme Rimbaud et Nelligan, Saint-Denys-Garneau (1912-1943) est devenu une figure poétique légendaire, un destin exemplaire. Son *Journal* (1954) est le plus beau et le plus tragique témoignage qu'ait laissé un Canadien sur l'angoisse que peut éprouver un homme qui se sent de plus en plus impuissant à accepter la vie quotidienne et à exprimer cette impuissance dans son œuvre poétique. D'un style simple et pur, ses *Regards et Jeux dans l'espace* (1937) touchent comme par jeu aux sujets les plus graves et ses poésies posthumes sont inspirées par le sentiment de la solitude spirituelle et par la hantise de la mort dans un monde ennemi dont il évoque

Saint-Denys-Garneau

Alain Grandbois

. . . des voix de notre temps !

Anne Hébert

Rina Lasnier

la dure cruauté dans des pages d'un dépouillement extrême. Toute cette œuvre est la recherche vaine du paradis perdu et elle fut la première à faire éclater les cadres traditionnels, à apporter un accent totalement nouveau et à ouvrir la voie dans laquelle la jeune poésie s'est engagée à sa suite. Saint-Denys-Garneau marque la fin d'une époque et le commencement d'une autre.

Plus grande encore aujourd'hui est l'influence d'Alain Grandbois ; aucun poète canadien vivant ne jouit auprès des jeunes poètes d'un prestige égal au sien. Son œuvre poétique a été réunie en un seul volume (1963), qui est peut-être le volume de poèmes le plus beau de toute la poésie canadienne, et il joint ses trois recueils : *Les îles de la Nuit* (1944), *Rivages de l'homme* (1948) et *L'Étoile pourpre* (1957). Toute cette poésie est l'expression ésotérique d'une recherche de l'amour et du bonheur dans un monde traqué par la mort. La mort est au cœur de cette poésie et donne son caractère tragique à toute l'aventure humaine. Ces poèmes sont faits d'intuitions, d'expériences, de regrets, de visions, de souvenirs, de désirs et de rêves et disent sans cesse cette tristesse qu'inspire au poète la conscience du temps qui s'écoule vers la mort inévitable.

Le sentiment de la solitude et la hantise de la mort sont encore plus troublants dans l'œuvre d'Anne Hébert. Depuis les *Songes en équilibre* (1942) jusqu'aux *Poèmes* (1960) en passant par *Le Tombeau des Rois* (1953), l'évolution est grande et semble enfin avoir débouché sur la joie, grâce à la réconciliation du poète avec lui-même et avec la vie, après avoir longuement exploré toute la misère physique et morale que peut éprouver celui qui, prisonnier de son corps et de ses rêves, vit pour ainsi dire comme un séquestré. Il y a quelque chose de dur dans cette poésie — nulle trace de sentimentalité ici — dont le thème central fut jusqu'aux derniers poèmes celui du mur, du mur qui isole, sépare, force à se replier sur soi et inspire au poète ce sentiment de dépossession en présence du monde, monde qui l'attire mais qui lui reste étranger, voire ennemi. Ses derniers poèmes manifestent toutefois que le poète s'est réconcilié avec le monde, qu'il a choisi d'être du côté de la vie et non de la mort, de la réalité et non du rêve. La fenêtre est désormais ouverte sur le monde devenu habitable.

L'œuvre de Rina Lasnier reprend ces thèmes de la solitude et de la mort, mais en leur opposant toujours ceux de la joie et de l'amour. Son œuvre, abondante et diverse, est au premier rang de la poésie canadienne d'aujourd'hui, avec celle d'Anne Hébert, et ces deux femmes ont une voix d'une force, d'une assurance, d'une virilité plus grandes que celle de leurs confrères de l'autre sexe. Il y a chez Rina Lasnier une veine tendre, notamment dans les *Madones canadiennes* et dans les pièces courtes du *Chant de la Montée,* mais il y a aussi des pages qui sont comme des coulées de lave qui charrient et brûlent tout sur leur passage. C'est pourquoi elle est l'auteur de quelques-unes des plus jolies poésies de la littérature canadienne, mais aussi de quelques-uns des poèmes les plus passionnés, les plus forts, les plus déchirants. Le thème central de cette poésie essentiellement religieuse est la lutte que se livrent dans le cœur du poète l'amour et l'Amour et les moments les plus émouvants de cette œuvre sont ceux où elle crie son mal d'être une femme que se disputent la terre et les cieux. Mais toute son œuvre chante la joie reconquise au terme de la nuit des sens et du cœur. Son plus beau recueil est peut-être *Présence de l'absence.*

Si Saint-Denys-Garneau, Grandbois, Anne Hébert et Rina Lasnier ont inventé un langage poétique nouveau, d'autres sont restés fidèles à des traditions bien établies. Ainsi Clément Marchand, dans *Les soirs rouges,* a repris le thème des villes tentaculaires et introduit celui du prolétariat dans la poésie canadienne ; Alphonse Piché a retrouvé la veine populaire des poètes du moyen âge et Carmen Lavoie a repris avec fantaisie de vieux thèmes laforguiens tandis que Jeannine Bélanger restait une romantique impénitente. Parmi les plus jeunes, Gérard Bessette, avec ses *Poèmes temporels,* est plus près de Valéry que de Char ; Éloi de Grandmont a publié des *Premiers Secrets* qui ont le charme des premiers poèmes de Ghéon ; Sylvain Garneau, mort prématurément, avait opéré un retour en arrière qui n'était pas sans rappeler celui d'Aragon durant l'occupation ; et la prolifique Suzanne Paradis écrit avec une facilité étonnante des tonnes de vers qui prouvent qu'elle a du souffle et le sens du rythme et qui redisent toujours la même chose, parfois avec un rare bonheur d'expression: la soif de vivre, le goût des êtres, le goût du risque, et ce sont des sentiments qui ne sont guère répandus parmi les jeunes poètes du jour. Il y a là un enthousiasme qui revalorise la vie, et cette poésie a une valeur tonique à une époque où tant de poètes nous donnent de la vie une image désespérante. En somme, ces poètes ont réussi à produire une œuvre de qualité écrite en vers réguliers et faite de poèmes à forme fixe.

La plupart des jeunes poètes préfèrent cependant écrire des poésies aux formes plus libres et aux vers irréguliers et, en général, n'ont pas de souffle. On publie surtout depuis quelques années des plaquettes de plus en plus minces qui ne renferment la plupart du temps que quelques pièces courtes. Les plus laconiques sont certes Cécile Cloutier (*Mains de sable*) dont les trois meilleurs poèmes n'ont que de 3 à 5 vers ; Maurice Beaulieu, aussi d'un dépouillement extrême (*À glaise fendre. Il fait clair de glaise*), et Jacques Godbout dont l'ironie coupe trop souvent les ailes à la poésie au moment où elle va s'envoler. Parmi les autres poètes pleins de promesses, on trouve encore le musicien Gabriel Charpentier, Georges Cartier, Gaston Miron, Ronald Desprès, Luc Périer, Michèle Lalonde, Fernand Dumont et le chansonnier Gilles Vigneault. Ceux dont l'œuvre s'impose déjà par une certaine densité et qui semblent aux premiers rangs de la jeune poésie sont Gilles Hénault, Paul-Marie Lapointe, Gatien Lapointe, Jean-Guy Pilon, Pierre Trottier, Roland Giguère, Fernand Ouellette et Paul Chamberland.

Gilles Hénault, depuis *Théâtre en plein air* (1946) jusqu'à *Sémaphore* (1962), n'a cessé de tenter de marier tendresse et violence dans des poèmes qui empruntent au folklore indigène des images imprévues pour chanter avec une densité croissante un érotisme brut qu'il veut accordé aux forces telluriques de la nature. Avec Paul-Marie Lapointe (*Arbres*), Hénault est le plus primitif des poètes canadiens-français. Fernand Ouellette, au contraire, est un des plus cérébraux et réfléchis. Pierre Trottier, pour sa part, a chanté successivement l'aventure amoureuse (*Le combat contre Tristan*), la conscience de l'écoulement du temps (*Poèmes de Russie*) et la hantise de la mort (*Les belles au Bois dormant*). Trottier est un lyrique, il a inventé sa propre rhétorique et son imagerie ne ressemble à celle de personne, mais il lui arrive de plus en plus souvent de tomber dans *la littérature*, la fabrication. À ses meilleurs moments, toutefois, son œuvre est certes une des meilleures de la poésie actuelle. Trottier est, de surcroît, un essayiste pénétrant et personnel (*Mon Babel*).

L'œuvre du graveur Roland Giguère est aussi une des plus riches que nous ait donnée un jeune poète canadien. Depuis *Yeux fixes* (1951) à *Adorable femme des neiges* (1961), le poète a évolué depuis l'évocation la plus sombre, la plus désespérée de la situation de l'homme bourreau de soi-même et des autres jusqu'à la réconciliation avec la vie grâce à la découverte et à l'expérience d'un amour partagé avec la femme adorée. S'il y a dans ce dernier poème des pages d'une pureté édénique, le poète avait néanmoins évoqué toute l'horreur de notre époque dans des pages d'une cruauté peu commune. Presque toute son œuvre a été réunie dans *L'âge de la parole* (1965). Jean-Guy Pilon est, lui aussi, mais dans un tout autre style, un poète de son temps. Il n'y a dans ses poésies que des temps forts et, depuis la *Fiancée du matin* (1953) jusqu'à *Pour saluer une ville* (1963), il a évolué, lui aussi, de cette insatisfaction congénitale qui le poussait à rechercher toujours ailleurs des bonheurs fragiles, à cette acceptation consciente et virile de sa situation canadienne d'aujourd'hui, de son destin d'homme du nouveau monde au milieu du XXe siècle. Encore une fois, la révolte a été surmontée et dépassée et, si le surréalisme a marqué plusieurs poètes de cette génération nouvelle, il est intéressant de constater que les meilleurs s'en sont libérés en s'acceptant eux-mêmes et en acceptant simultanément leur pays et leur temps. La poésie de Gatien Lapointe est, elle aussi, directe, simple, virile et, si on peut dire, souveraine. Comme chez Pilon, on ne trouve ici nul enjolivement, nulle complaisance pour les développements inutiles. Cette poésie est presque abstraite, elle est faite de vers qui sont souvent précis et durs comme des apophtegmes et qui définissent avec netteté la connaissance que le poète a du monde, connaissance qui est domi-

Jean-Guy Pilon

nation et possession et qui crée la beauté en même temps qu'elle engendre l'amour. Lumière, beauté, avenir sont les mots-clefs de cette poésie d'un classicisme nouveau. De ses premiers recueils à ce *Temps premiers* (1962) et à cette *Ode au Saint-Laurent* (1963) qui affirment sa maturité, Gatien Lapointe n'a cessé de grandir pour venir prendre sa place, une des premières, parmi les jeunes poètes canadiens. Paul Chamberland a débuté par des poèmes d'allure platonicienne, puis a cherché à incarner sa poésie dans la patrie (*Terre-Québec*), avant de publier une sorte de méditation poétique violente et cahotique dans laquelle il s'affirme étranger chez lui, sa patrie réelle ayant été aliénée par l'étranger qui l'occupe (*L'afficheur hurle*).

Qu'elle soit recours à la magie pour échapper au réel et le retrouver dans le miroir grossissant du mythe comme chez Roland Giguère ; qu'elle aspire à vaincre le temps en trouvant la parole capable de faire naître l'instant éternel, comme chez Pierre Trottier ; qu'elle se contente de désigner la réalité et de la faire apparaître dans une lumière crue, comme chez Jean-Guy Pilon ou chez Gatien Lapointe, la poésie nouvelle est, en même temps qu'un art, un moyen de connaissance, une aventure intérieure, voire une manière d'être. Par là, elle rejoint la poésie française de notre temps.

Le roman d'aujourd'hui

Le roman a, lui aussi, été marqué par l'époque mais on ne saurait dire qu'il ait rejoint le roman français de notre temps. Il a sans doute évolué, il s'est diversifié et enrichi, mais il n'a guère été touché par « le nouveau roman », et très peu par les techniques dérivées du cinéma. En général, tant par ses sujets que par son écriture, le romancier canadien est beaucoup plus conservateur, traditionnel que le poète canadien et rares sont les œuvres romanesques abondantes. En somme, si on écrit de plus en plus de romans au Canada français, on n'y fait guère encore une carrière de romancier. L'essor annoncé par Grignon, Savard, Desrosiers et Ringuet s'est continué, et accentué pendant les années '40 au cours desquelles Gabrielle Roy, Germaine Guèvremont, Roger Lemelin, Robert Charbonneau, Yves Thériault et André Giroux ont assuré la relève et porté l'art du roman à un niveau plus élevé.

Le roman historique semble en voie de passer de mode et personne ne pratique plus le genre avec le même succès que Léo-Paul Desrosiers, même si Pierre Benoît (*Martine Juillet*) et Bertrand Vac (*La favorite et le conquérant*) ont cherché à rivaliser avec lui. Le roman paysan a encore des adeptes, mais ni Marcel Trudel (*Vézine*), ni Hervé Biron (*Poudre d'or*), ni Pierre de Grandpré (*Marie-Louise des champs*) n'ont réussi à renouveler le genre comme l'a fait avec tant de succès Germaine Guèvremont dans *Le Survenant* (1945) et *Marie-Didace* (1953). Ces deux premiers panneaux d'un triptyque évoquent avec poésie et attendrissement l'extinction d'une famille terrienne, et ce double récit est un des sommets de la prose canadienne.

Germaine Guèvremont

Toutefois, la ruée vers la ville a évidemment amené les romanciers à peindre les mœurs des citadins et à analyser leurs états d'âmes. C'est ce qu'a fait Ringuet dans *Le poids du jour,* et c'est ce qu'ont aussi voulu faire Robert Choquette dans *Élise Velder,* Roger Viau dans *Au milieu la montagne,* Geneviève de la Tour Fondue dans *Monsieur Bigras* et, plus récemment, Pierre Gélinas dans *Les vivants les morts et les autres.* D'ailleurs, la plupart des bons romans de mœurs et d'analyse des dernières années sont inspirés par des citadins. Germaine Guèvremont est une exception, et il faut mettre à part aussi deux romans de guerre : *9 jours de haine* de Jean-Jules Richard et *Les Ca-*

nadiens errants de Jean Vaillancourt. Longtemps négligé, le roman est désormais pratiqué par un nombre croissant d'écrivains et, avec des techniques variées, ils peignent les milieux les plus divers, les personnages les plus différents et abordent tous les sujets imaginables. S'il faut de tout pour faire un monde, selon l'adage populaire, on retrouve un peu de ce tout dans chacun des romans.

Un des plus habiles artisans du roman canadien est certes Maurice Gagnon qui sait assez bien réussir un roman à propos de n'importe quoi : la vie conjugale, les affaires, la politique, la guerre, la médecine. Claire France sait développer à l'infini les plus romantiques intrigues romanesques et ses livres ont auprès du grand public un certain succès. Adrien Thério écrit avec autant de facilité des romans que des contes, mais la plupart des romanciers qui suivent sont les auteurs d'un seul, ou parfois de deux romans. Jean Pellerin réussit assez bien le roman populaire (*Le diable par la queue*), pratiqué aussi par le poète Gérard Bessette (*La bagarre*) à qui l'on doit encore un cruel petit roman satirique (*Le libraire*) et un récit introspectif d'une belle coulée (*L'incubation*). Dans *Quelqu'un pour m'écouter*, Réal Benoît a évoqué lui aussi, par le truchement du monologue intérieur, la vie d'un homme qui, au midi de la vie, rompt avec son passé. C'est au procédé du monologue qu'a aussi recouru Jean Basile pour écrire ce roman excellent de la ville de Montréal qu'est *La Jument des Mongols* (1964). On a fait beaucoup de bruit ces derniers mois autour des débuts de Hubert Aquin (*Prochain épisode*) et de Réjean Ducharme (*L'avalée des avalées*), deux livres violents qui révèlent de forts tempéraments d'écrivain. Jean-Paul Pinsonnault a écrit un bon roman de la jeunesse (*Les abîmes de l'aube*) et surtout un tragique roman du prêtre (*Les terres sèches*). Jacqueline Mabit a bâti un non moins bon roman des amitiés particulières (*La fin de la joie*), tandis que Monique Bosco a évoqué la jeunesse malheureuse d'une Isréalite pendant l'occupation allemande et son dépaysement au Canada après la guerre (*Un amour maladroit*). C'est la jeunesse fébrile d'aujourd'hui qui s'agite dans les romans agités de Claude Jasmin, cependant que Gilles Marcotte a voulu écrire le roman du prêtre (*Le poids de Dieu*) et Clément Lockquell, celui des religieux enseignants

Claude Jasmin, romancier et critique d'art.

Jean Filiatrault et Jean-Marie Poirier,
lauréats du Prix du Cercle du Livre de France.

(*Les élus que vous êtes*). Dans *Les anges dans la ville,* le poète Wilfrid Lemoine a évoqué avec autant de pudeur que de poésie l'amour incestueux d'un frère pour sa sœur ; *la Belle Bête* de Marie-Claire Blais nous transporte dans le monde des rêves qu'habite une adolescente trop sensible et cette atmosphère trouble se retrouve dans toute son œuvre ; dans *Laure Clouet,* Adrienne Choquette a dessiné avec finesse le portrait d'une vieille fille de la grande bourgeoisie qui, au midi de la vie, découvre ce frémissement de la chair contre lequel tout l'avait protégée ; l'éternel triangle se retrouve dans *Le prix du souvenir* de Jean-Marie Poirier et dans *L'interrogation* de Gilbert Choquette, tandis que Jean Filiatrault s'est fait le romancier des âmes tourmentées qui engendrent des drames sombres parce qu'elles aiment trop férocement des êtres qu'elles blessent en voulant les posséder.

Dans un tout autre registre, François Hertel, après avoir écrit un banal roman de la jeunesse (*Le beau risque*) a publié, coup sur coup, une trilogie de récits loufoques (*Mondes chimériques,* 1940 ; *Anatole Laplante curieux homme,* 1944 ; *Journal d'Anatole Laplante,* 1947) où les deux personnages, Charles Lepic et Anatole Laplante dialoguent à propos de tout et de rien et tournent tout à la blague. Pierre Baillargeon est, lui aussi, un moraliste et un satiriste et le personnage principal des *Médisances de Claude Perrin* (1945), de *Commerce* (1947) et de *La Neige et le feu* (1948) n'est que le porte-parole de l'auteur qui y juge sévèrement son milieu, et dans une langue pure et nette. Jean Simard a débuté par de semblables récits satiriques sur les mœurs familiales et politiques de Québec (*Félix,* 1947 ; *Hôtel de la Reine,* 1949), mais il a depuis dépassé la pure satire sociale pour atteindre à l'inquiétude religieuse (*Mon fils pourtant heureux,* 1956 ; *Les sentiers de la nuit,* 1959). Le satiriste le plus fort, le plus naturel, c'est néanmoins Roger Lemelin dont *Au pied de la pente douce* (1944) et *Les Plouffe* sont deux évocations hautes en couleurs des mœurs pittoresques d'un quartier pauvre du vieux Québec. Il y avait dans ces deux premiers romans satiriques une veine plus grave, l'ambition qu'éprouve un jeune homme voulant s'élever au-dessus de son milieu tant par l'instruction que par le succès financier, et c'est encore un roman de l'ambition que *Pierre le magnifique* (1952) qui n'a cependant

L'historien Michel Brunet (à droite) remet à Jean Simard (à gauche) le prix Duvernay, en présence de M. Paul-Émile Robert, président de la Société Saint-Jean-Baptiste.

Roger Lemelin

Gabrielle Roy, prix Fémina.

pas les qualités de vérité des premiers, l'auteur ayant voulu peindre un milieu qui lui était étranger, celui des politiciens de Québec. Lemelin n'en reste pas moins le plus truculent des romanciers canadiens, celui qui sait le mieux camper un personnage pittoresque et raconter un événement.

De la même pâte humaine, Gabrielle Roy a tiré *Bonheur d'occasion* (1945) qui lui a valu le prix Fémina ; ce gros roman peint avec réalisme et tendresse la vie pénible d'une famille pauvre de la banlieue de Montréal et les pauvres amours d'une simple fille. Depuis, elle a évoqué avec attendrissement et une pointe d'humour les mœurs d'une famille de colons français dans son Manitoba natal (*La Petite Poule d'eau*) et elle s'est penchée avec beaucoup de sympathie sur la vie simple et monotone d'une sorte de Salavin canadien (*Alexandre Chenevert*) avant de publier son plus beau livre, d'une rare pureté d'écriture, suite de récits autobiographiques : *Rue Deschambault*. Son dernier roman, *La Montagne secrète*, est moins réussi, mais le charme des récits réunis dans *La route d'Altamont* est irrésistible.

Yves Thériault

Plus prolifique encore que Gabrielle Roy, mais d'un talent moins égal et d'un style qui change d'un roman à l'autre, est Yves Thériault qui, après un roman primitif qui rappelait le Giono d'autrefois (*La fille laide*), a donné le meilleur de lui-même dans trois romans qui peignent respectivement les mœurs des Esquimaux (*Agaguk*), des Indiens (*Ashini*) et des Juifs de Montréal (*Aaron*). Il a aussi publié des contes et des reportages ainsi que quelques autres romans qui ne sont parfois que des exercices de virtuosité. Thériault est certes le plus imprévisible des romanciers canadiens.

Le roman d'analyse avait été très peu pratiqué jusqu'au moment où Robert Charbonneau attira l'attention avec un premier roman où les événements comptaient beaucoup moins que la vie intérieure des personnages, où les événements étaient précisément les transformations psychologiques que subissaient les personnages au contact des autres (*Ils posséderont la terre,* 1941). Ses deux autres romans, *Fontile* (1945) et *les Désirs et les Jours* (1948) sont d'un moindre intérêt, mais les essais critiques qu'il a réunis dans *Connaissance du personnage* (1945) sont des plus pénétrants. Parmi ceux qui ont pratiqué le roman d'analyse avec succès, il y a André Giroux qui, dans *Au delà des visages* (1948), a décrit dans une suite de tableaux, les réactions que provoque chez divers personnages, la nouvelle d'un meurtre commis par un jeune homme de bonne famille. De la même manière, dans *Les témoins* (1953), Eugène Cloutier avait disséqué les divers aspects de la personnalité d'un meurtrier en le faisant s'analyser diversement par divers côtés de lui-même, constitués en témoins. Dans *Le Gouffre a toujours soif* (1953), Giroux a observé les états d'âme d'un cancéreux qui fait la somme de sa petite vie au moment où elle s'achève. Giroux est le romancier de la maladie et de la mort. De même, la *Fin des songes* (1950) de Robert Élie est l'analyse subtile de la déchéance spirituelle et morale d'un homme qui aboutit au suicide faute de pouvoir trouver un sens à la vie. Son deuxième roman, *Il suffit d'un jour* (1955) est un demi-succès, mais Élie est aussi l'auteur d'essais qui mériteraient d'être réunis en volume et d'une pièce, *l'Étrangère,* qui est une œuvre tragique de grande qualité. André Langevin a écrit pour le théâtre, mais son talent est réellement celui d'un romancier. Après un début prometteur,

Robert Charbonneau

André Giroux

Robert Élie

André Langevin

Évadé de la nuit (1951), Langevin a donné avec *Poussière sur la ville* (1955) un des meilleurs romans canadiens, roman sombre qui raconte avec une rare économie de moyens la vie tragique d'un médecin trompé qui voit sa femme se suicider parce que son amant a décidé d'épouser une autre femme. Ce roman a la vigueur d'une tragédie racinienne. D'une moins grande unité d'action et de style, *Le temps des hommes* (1956) est le roman d'un défroqué qui continue à chercher son salut en essayant de sauver un meurtrier. Langevin semble être celui qui a le plus puissant tempérament de romancier parmi les écrivains canadiens-français de la nouvelle génération.

Claire Martin

Parmi les romancières qui, depuis Gabrielle Roy et Germaine Guèvremont, se font de plus en plus nombreuses, c'est sans doute Claire Martin qui a les dons les plus évidents, encore qu'elle excelle davantage dans la nouvelle que dans le roman. C'est d'ailleurs un recueil de nouvelles qui l'a révélée (*Avec ou sans amour*). Elle a l'observation cruelle et sait surtout faire voir les tares de ses personnages en des raccourcis heureux ; ses deux romans, *Doux-amer* (1960), plus amer que doux récit d'amours impossibles, et *Quand j'aurai payé ton visage* (1962) en font la romancière qui a pénétré le plus loin dans l'analyse des ressorts les plus secrets de l'amour humain. Ses souvenirs d'enfance qu'elle a évoqués dans *Dans un gant de fer* et dans *La joue droite* ont fortement ému. Un peu dans le même ton, la jeune Diane Giguère a peint dans *Le temps des jeux* (1961) la haine qu'une jeune fille en vient à éprouver à l'égard de sa mère libertine et qui la déchire autant elle-même qu'elle la pousse à torturer les autres. Il y a moins de densité et de vérité dans *L'eau est profonde* (1964). Il y a beaucoup plus de fantaisie, et un curieux mélange de poésie et de réalisme dans *Amadou* qui a valu à Louise Maheux-Forcier, le prix du Cercle du Livre de France de 1963 et qui raconte la jeunesse, les voyages et les amours d'une lesbienne qui a épousé un artiste et vit en France. Autre écrivain brillant et spirituel, Andrée Maillet qui après *Les Montréalais* vient de faire sa marque dans un recueil de nouvelles *Le lendemain n'est pas sans amour*. Quant à la poétesse Anne Hébert, venue récemment aussi au théâtre, elle a publié un roman, *Les Chambres de bois* (1958) où des personnages de légende s'agitent lentement dans un univers de rêve. Il faut peut-être voir une autre expression de la réconciliation du poète avec la vie, dans ce départ de Catherine qui, délaissant un mari par trop irréel et artiste, va se donner à un garçon simple et fort. Écrit dans une langue poétique d'une beauté peu commune, ce récit est un des sommets de la prose canadienne. Anne Hébert avait d'ailleurs déjà affirmé ses qualités de prosateur dans un recueil de récits, *le Torrent* (1950). Le poète Georges Cartier a analysé dans *Le poisson pêché* (1965) le conflit intime d'un Canadien qui a vécu dix ans à Paris et qui hésite à rentrer au pays. Un autre poète, Jacques Godbout, a publié un récit nettement « nouveau roman », *L'Aquarium* (1961), microcosme où s'agitent des hommes qui s'entre-dévorent comme des poissons de différentes grosseurs. Dans une sorte de club fermé de la lointaine Abyssinie, des conseillers techniques, venus d'Europe et d'Amérique, se meurent d'un ennui que ne peuvent chasser ni les femmes, ni le jeu, ni l'alcool. Dans ce monde en décomposition, il semble que l'auteur ait voulu voir l'image de notre époque et son récit, audacieux dans sa forme et heureux dans son écriture, défie autant les lois du roman que toutes les idées reçues. *Le couteau sur la table* (1965) est un

Jacques Godbout

curieux roman d'amour qui finit mal et où certains ont vu une image réduite des deux solitudes dont parlait McLennan.

Les auteurs des meilleures nouvelles sont, en général, des romanciers déjà mentionnés, auxquels il faut ajouter des humoristes comme Berthelot Brunet (*Le mariage blanc d'Armandine*) ou Jacques Ferron, un des écrivains les plus curieux (*Contes du pays incertain*) et un styliste impeccable comme Paul Toupin (*Souvenirs pour demain*). Mentionnons aussi Jean Hamelin et Marcelle Ferron.

Naissance d'un théâtre

Paul Toupin et Jacques Ferron sont d'ailleurs aussi parmi ceux qui ont le plus écrit pour le théâtre. Ce n'est que récemment qu'on a commencé à écrire plus abondamment pour la scène, et pour la télévision, ce qui s'explique sans doute par l'établissement de compagnies de qualité donnant des saisons régulières : le dramaturge canadien peut donc désormais avoir un public. De bons romanciers comme Yves Thériault et André Langevin y ont connu des échecs, mais des dramaturges comme Gratien Gélinas et Marcel Dubé y ont connu des succès durables. Le *Tit-Coq* de Gélinas (1948) fut le premier grand succès du théâtre canadien-français ; ce mélodrame populaire n'est toutefois guère exportable, en raison surtout de la langue familière que parlent les personnages. Cette même langue se retrouve dans *Bousille et les justes* où Gélinas se révèle une fois de plus authentique homme de théâtre, tout en abusant d'effets un peu trop faciles. C'est aussi une langue typiquement canadienne que parlent les personnages de Marcel Dubé, l'écrivain canadien qui écrit le plus naturellement pour le théâtre et qui excelle à faire vivre

Paul Toupin

ces jeunes d'aujourd'hui qui, sous leur dureté apparente, cachent mal un irrépressible besoin d'amour et de tendresse qu'ils ne parviennent pas à trouver dans un monde où règnent les lois de la jungle. Il est déjà l'auteur d'une dizaine de pièces dont les meilleures sont *Zone, Un simple soldat* et *Florence.* Ces pièces sont dans la tradition américaine de la tranche de vie.

Influencé trop visiblement par Beckett et Ionesco, Jacques Languirand a le goût de l'insolite et se complaît trop volontiers dans les situations sordides (*Les Grands Départs, Le Gibet, Les Insolites, Les Violons de l'automne*). Jacques Ferron aime aussi les situations cocasses et les personnages loufoques, mais il n'a pas autant le sens du théâtre (*la Licorne, L'Ogre, la Tête du roi*). Paul Toupin, au contraire, aime les sujets classiques qu'il reprend volontiers ; son *Théâtre* (1961) réunit en un volume son *Brutus,* une pièce dont l'action se passe au XVe siècle, *Le mensonge,* et une pièce contemporaine, *Chacun son amour,* Le théâtre de Toupin est le plus littéraire du Canada français, l'auteur cherchant à écrire une langue aussi pure que possible. J'ai souligné plus haut l'intérêt de *l'Étrangère* de Robert Élie. Deux écrivains, venus récemment au théâtre, semblent avoir aussi des dons pour ce genre : la poétesse Anne Hébert dont *Le Temps sauvage* (1963) est peut-être cependant destiné à la lecture plus qu'à la représentation ; et le journaliste André Laurendeau, dont *Deux femmes terribles* (1960) a eu un certain succès. Parmi les autres écrivains qui ont écrit des pièces qui méritent d'être au moins mentionnées, il y a le chansonnier Félix Leclerc (*Maluron*), (*L'Auberge des morts subites*), les comédiens Jean-Louis Roux (*Rose Latulippe*) et Pierre Dagenais (*Le Temps de vivre*), le poète Éloi de Grandmont (*Un fils à tuer*) et François Moreau (*Les Taupes*). Tous ces essais plus ou moins réussis — mais où se distinguent Toupin, Gélinas et surtout Dubé —constituent un commencement de théâtre canadien qui, il faut l'espérer, est promis à un meilleur avenir.

Une voix différente

Le thème de la solitude est celui qui a dominé toute la littérature canadienne de langue française des dernières années. C'est sans doute normal, à la suite des transformations sociales qui ont non seulement modifié la structure du Canada français, mais ont fait éclater le système de valeurs qui avait suffi au peuple rural qui a défriché et colonisé le pays mais ne répond plus aux générations actuelles. Il y a dans toute cette littérature récente une part considérable de négation, de refus, de mise en procès des valeurs sur lesquelles les ancêtres ont vécu. C'est la littérature d'un monde en transition, d'une société qui cherche un nouvel équilibre, d'individus qui aspirent à accéder à un humanisme élargi et plus profond. C'est pourquoi, tout récemment, le thème de la révolte a pris une place importante dans la jeune littérature. Cette littérature est sortie de la médiocrité, elle compte désormais plusieurs œuvres remarquables qui ont un authentique accent humain en même temps qu'une indéniable beauté littéraire. Le Canada français n'a certes pas encore de Molière, de Balzac et de Pascal, mais il a désormais de bons écrivains qui sont, en même temps que les témoins et les interprètes d'un peuple qui veut durer et grandir, des auteurs qui ont aussi quelque chose à dire à tous les hommes. Cette littérature est, en somme, une littérature *américaine* écrite en *français* dans un pays *britannique*. Elle exprime un monde aux dimensions nouvelles, un peuple marqué autant par la civilisation américaine que par la culture française ; elle donne à voir un visage de l'homme qui est complexe, celui d'un homme qui a l'Amérique sous les pieds mais qui a, selon l'expression de René Garneau, « la France dans le sang et dans la peau ». De cette rencontre d'éléments de civilisation nouveaux et de valeurs de culture anciennes va sortir un nouvel équilibre humain dont la littérature récente indique la venue sans avoir réussi encore à l'exprimer clairement et fortement. Ce qui est certain, c'est que cette coexistence de traditions françaises et d'apports américains fait du Canada français une entité distincte dont les lettres et les arts ont une saveur unique en Amérique du nord.

Bibliographie sommaire

SAMUEL BAILLARGEON, *Littérature canadienne-française* (Montréal, 1960).

GÉRARD TOUGAS, *Histoire de la littérature canadienne-française* (Paris, 1964).

AUGUSTE VIATTE, *Histoire littéraire de l'Amérique française* (Paris, 1954).

GILLES MARCOTTE, *Une littérature qui se fait* (Montréal, 1962).

GILLES MARCOTTE, *Présence de la critique* (Montréal, 1966).

PIERRE DE GRANDPRÉ, *Dix ans de vie littéraire au Canada français* (Montréal, 1965).

ALAIN BOSQUET, *La poésie canadienne* (Paris, 1962).

LAURE RIESE, *L'âme de la poésie canadienne-française* (Toronto, 1955).

GUY SYLVESTRE, *Anthologie de la poésie canadienne-française* (Montréal, 1964).

GUY SYLVESTRE, BRANDON CONNOR et PAUL KLINCK, *Écrivains canadiens, Canadian Writers* (Montréal et Toronto, 1965).

JEAN HAMELIN, *Le renouveau du théâtre au Canada français* (Montréal, 1961).

ANTONIO DROLET, *Bibliographie du roman canadien-français* (Québec, 1955).

Index des noms

Table des matières

ACHEVÉ D'IMPRIMER
SUR LES PRESSES
DES ATELIERS CHARRIER ET DUGAL (1965), LTÉE,
À QUÉBEC,
LE PREMIER JOUR DU MOIS D'OCTOBRE
DE L'AN MIL NEUF CENT SOIXANTE ET SEPT